강순지책

강순지책

발 행 | 2022년 01월 10일
저 자 | 강순지
펴낸이 | 한건희
펴낸곳 | 주식회사 부크크
출판사등록 | 2014.07.15.(제2014-16호)
주 소 | 서울특별시 금천구 가산디지털1로 119 SK트윈타워 A동 305호
전 화 | 1670-8316
이메일 | info@bookk.co.kr

ISBN | 979-11-372-6957-6

www.bookk.co.kr
ⓒ 강순지 2022
본 책은 저작자의 지적 재산으로서 무단 전재와 복제를 금합니다.

강순지 책

강순지 지음

목차

제 1 장 강순지 에세이

내 삶의 동기는 어디에서 생기는 것일까? 새로운 사랑의 시작에서 다시 시작되는 어떤 생명, 내 마음을 움직일 누군가를 만나기 전까지 이런 와중 속에서 살아야 하는 걸까? 정말 내 마음은 사랑하는 사람을 따라 움직일까? 그게 아니면, 이 와중에 나는 무엇으로써 사랑하는 사람을 대신해 내 마음을 이끌까? **내가 이 글을 적는 과정에서 담길 열정이 곧 해답을 알려줄 것이다.** 자주 와야겠다.

잠깐 시간이 지났을 뿐인데 무엇인가 변한 것은 없는지 두리번거린다. 혹시 나의 오랫동안 바라온 기대가 기적처럼 이뤄진 것인지 확인해본다. 점점… 표정을 잃어 간다. 무표정함. 나에게 가장 두려운 것이다. 마법 같은 일이 일어나지 않는 한 내 얼굴에 생기가 생길 일은 없을지 모른다. 무표정함에는 공포도 담겨 있고, 무기력도 담겨 있고, 소심한 불만도 담겨 있다.

　나는 최고가 되고 싶진 않지만 특별한 사람이 되고 싶다. 모두에게 특별한 사람은 아무에게도 특별한 사람이 아니니, 오직 내가 바라는 사람에게만 특별한 누군가가 되고 싶다. 이러한 열망이 나를 둘러싸고 있다.
　나는 소설을 쓰고 싶어서 하루에도 몇 번씩 시작해 보지만 그 끝은 결국 내 일기로 돌아온다. 그럼 일기에서 영감을 얻을까 하였으나 쓸 때와는 다르게 다시 읽으면 재미가 없으니 읽게 되질 않고. 그래서 이 골칫덩이 일기부터 확실히 해두어야겠다고 생각했다.

사랑니가 아픈 날이면 엉뚱한 상상에 빠진다. 사랑에 대해 나도 모르는 새 성장의 아픔을 겪는 것이다. 사랑니가 자꾸만 입 안을 깨물어 음식을 한가득 넣고 오물오물 씹는 즐거움을 느끼기 어려워졌다.

그나저나 내 사랑은 어디에서 어떻게 성장했을까. 내 사랑은 여전히 그대로 인 것 같은데 이제는 두리번거리는 것이다. 전엔 무엇이 무엇인지 몰라서 가만히 있다가, 지금은 좋은 것이 좋고, 싫은 것이 싫으니 내가 좋아하는 무엇을 찾아 두리번거리는 것이지. 어렸을 때는 모르겠더니. 그게 꼭 자기만 생각하는 물고기 같아서 싫더니. 이제는 내가 그 물고기가 되어 버리는 듯하다.

내 일기의 일부를 공개하자면 이렇다. 그리고 다시 돌아와 말하자면, 내가 강순지 인 것은, 운명과도 같은 일이다. 강순지라는 이름이 아니고서야 이 글을 쓸 수 없다. 나는 강순지이기에 이 글을 쓴다.

우리가 만난 지 얼마나 지났을까. 겨우 1분? 천천히 읽고 읽어서 3분? 아니면 슬쩍 보고 덮었을까. 하루가 꼬박 지나거나 한 달, 혹은 1년 그 이상이 지났을 수도 있겠다. 나는 당신이 지금까지 읽은 글에 대해 어떤 느낌이 들었는지, 마음에 들었는지 궁금해진다. 앞으로도 내 글을 읽을 마음이 드는지.

앞으로도 읽을 마음이 드는지 적어 줄 수 있다면,

_____

_____

_____

_____

_____

_____

그   냥   아무   말이라도   책에   적어   줬으면   해서.
_____

첫 번째 일기.

앞으로 내가 당신의 삶을 책임질 것이라고 말하면 어떤 기분일까. 믿지 않을 것 같다. 왜냐하면 난 당신의 삶을 절대 책임질 수 없을 테니까. 각자는 각자의 몫을 책임질 뿐이다. 내가 당신을 책임질 것이라는 말은 그러니까, 이렇게 말하고 싶을 만큼 당신을 사랑할 마음이 있다는 것이다. 당신이 아무에게도 의지할 수 없을 때 당신을 기다려 무사히 그 언덕을 내려오게 도와줄 것이란 말이다. 나는 그에 맞는 대가를 바랄 텐데. 그 대가는, 내가 세상을 바라보지 못한다고 해서 날 속이거나 날 대신할 누군가를 찾아가지 않는 것이다.

내가 이런 생각을 하고 있다는 걸 아무에게도 말하고 싶지 않았는데. 날 아는 누군가가 이 글을 읽지 않았으면 좋겠다. 하지만 '대체 누가 날 알고 있다는 것인지.'

나는 모든 것이 뒤바뀌어 있는 세상을 상상하는데, 그 세상에서는 마음대로 화를 내고 다닌다. 용서하라고 하지만 용서하지 않고, 참으라고 하지만 참지 않는다. 그럼으로써 나를 비롯한 사람들은 더, 더, 더 자유에 가까워진다. 자유로워지는 인간은 아무도 죽이지 않는다. 원하는 대로 바꿀 수 있기 때문이다.

나는 이제 당신께 '강순지 에세이'를 쓸 수 있도록 그 '역할'을 넘길 것이다. 난 당신이 마땅히 강순지 에세이를 쓸 수 있도록 허락한다. 이렇게 해서 강순지 에세이는 끝나지 않고 자꾸만 쓰이게 될 것이다.

> (**하지만** 강순지는 나만의 것-당신은 당신의 에세이를
> 쓸게 될테니까.)

당신이기 때문에 허락한 것이다. 이 글은 아무에게도 보여주지 마시도록.

두 번째 일기.

자꾸만 떠오른다. 지금 그 사람은 무엇을 하고 있을까. 혹시 날 아직 생각하고 있을까. 날 잊었다면 도대체 어떻게 해서 그럴 수 있었을까.

나는 어떤 이유로 당신을 좋아했을까. 향기와 피부, 움직임. 목소리와 마음을 좋아했다.

다락에서 내려와 공원에 갈 짐을 챙겼다. 자전거를 타지 않고 가방을 평소보다 가볍게 챙겨 집을 나섰다. 한 걸음 한 걸음이 무거웠다. 아주 천천히 공원까지 걸었지만 오늘은 공원에 가지 않는다. 방향을 틀어 계곡 쪽으로 향했다. 자갈들이 무수하게 펼쳐져 있는 골짜기. 가벼운 산을 타면 도착한다.

서늘한 기운이 느껴지면 거의 다 왔다. 계곡의 뒤편에는 깊지 않은 동굴이 있다. 동굴은 묘한 추억을 불러일으키는 장소이다. 누군가가 아주 오래전에 이곳에서 누군가를 기다렸을 것만 같다. 그리움의 공간이다.

나는 잠시 자갈 위에 앉아 흐르는 물을 바라본다. 나뭇잎이 한 잎 떨어져 흘러간다. 나무에 비친 물이 아름답게 반짝인다.

세 번째 일기.

생각하는 인간, 강순지. 나는 생각하는 사람이다. 삶이 좋은 이유는 '생각' 때문이다. 생각할 수 있어서 삶이 참 좋아진다.

아무래도 당신이 강순지의 매력에 푹 빠졌으면 한다. 당신의 진심이 담긴 마음을 느낄 수 있다면 좋겠다.

내 직업은 만화가이다. 그림을 그리고 이야기를 만든다. 만화를 그리지 않으면 오두막을 청소한다. 나는 두 오두막을 오가며 자라왔기 때문에 한 곳을 고를 순 없다. 둘 다 나의 편안한 공간이다.

내가 만든 만화는 『둥근 세상 이야기 시리즈』, 『작은 세상 이야기 시리즈』 외 다수. 내가 이 직업을 선택한 이유는 내가 보기 싫은 것들을 보고 싶지 않아서이다. 그러니까 내가 보고 싶은 것만 보고 싶어서라고 하면 되겠다. 세상에는 내가 보기 싫어도 봐야 하는 것들이 많았다. 나는 어떤 사소한 흐름에도 한풀 꺾여 살아갈 의욕을 잃는 아주 연약한 성격을 가지고 있었다. 만화에서는 이런 내 바람이 성공적이었다. 내가 보고 싶어 하는 것만 그림 그리고 만들고 또 이야기로 풀어나갈 수 있었다.

나의 동화 속 세상의 주인공은 감자다. 둥글둥글하고 폭신폭신한 감자.

잠시, 다시 한번 확실히 해두자면. 나는 이 글을 쓰는 시간으로 인해 마음이 훨씬 편해지고 있다. 그동안 적은 일기를 옮겨둘 뿐만 아니라 내 생각을 아무런 흐름 없이 무질서하게 혼돈의 상태 그대로 적는다.

그동안 이야기할 수 없었던 나를 이야기하는 느낌이다.
나만의 일기로 끝나지 않길.

4. 친구 이야기. *(친구가 강순지에게 남긴 글)*

 사랑한다고 말했었나. 그랬지. 그런데, 헤어지는 순간에도 이야기할 걸 그랬어. 그래, 그래도 나는 널 정말 사랑했다고. 아니 사랑한다고.

 사랑했던 나를 생각하는지, 사랑했던 기억을 사랑하는지. 널 다시 만나고 싶단 생각은 안 드는데 그 순간의 기억들이 소중해서. 그때의 너와 나를 다시 보고 싶어서 말이야. 어떤 말을 해야 다시 볼 수 있을까.

 네가 앞으로의 시간을 어떻게 보낼지 하나도 안 궁금해. 그 옆에 내가 없는데 궁금할 이유가 없지. 되도록 널 다시 만나지 않았으면 좋겠어. 네가 아직도 걱정하고 있는지 모르지만, 넌 왜 그런 말을 했었을까. 내가 너무 힘들게 한 거야?

 내가 널 다시 만나고 싶어 하는 건. 널 정말 사랑해서가 아니라, 외롭고 허전해서일 거야. 그러니 널 다시 만나면 또 같은 감정으로 돌아오겠지. 그래서 나는 그냥 날 보기로 했어.

 순지야, 너에게 이야기하는 것이 참 좋아. 넌 그냥 지나치는 법이 없어. 내가 바라는 게 무엇인지 내가 원하는 게 무엇인지 알고 있으니. 그게 내가 원하는 것이기도 하고. 내 인생에서 널 만난 건 최고의 행운이야. 난 정말 운 좋은 사람이지?

당신, 이 글을 읽는 당신. 순지가 얼마나 좋은 사람인지 아시겠어요? 순지는 꼭 내 마음 속에 사는 것처럼, 나에 대해 잘 알고 있어요. (결코, 순지는 '난 너에 대해 잘 알아'라고 말하지 않아요.) 그래서 순지를 만나러 갈 때마다 마음이 편안해져요. 당신도 이런 순지의 매력에 푹 빠지길 바라요.

순지는 가끔씩 어디론가 사라져 버려요. 그럴 때면 난 그냥 그런가 보다 해요. 순지는 어디에 있든 좋은 사람이에요. 내 마음을 뒤숭숭하게 하지 않고, 순지가 없는 내 삶도 잘 살 수 있게 해 주는 거죠. 난 순지를 정말 좋아해요. 요즘, 순지는 당신에게 푹 빠져있어요. 당신을 알고 싶어 하죠. 당신이 어떤 사람인지 정말 궁금하네요. 당신은, 순지만큼이나 좋은 사람일 거예요.

당신은, 내가 그 사람을 사랑했다고 생각하나요? 왜요?

————————————————————————————————

네. 잘 알았어요. 그럼, 안녕히.

5. (다시 강순지의 글) 어리석은 장미

한동안 나는 꼭 소행성의 어리석은 장미가 되었던 것 같다. 내가 어린왕자가 아니라, 장미였다는 사실을 부정하고 싶다. 장미는 어린왕자를 기다리고 또 기다렸지만 이미 어린왕자가 돌아왔을 때 장미는 시들어 버렸을 것이다.

난 장미가 되고 싶지 않은데. 그렇게 하려면 어떻게 해야 하는지? 장미는 바람을 막아줄 어린왕자가 필요했지. 난 사람이니까 자유로운 내 두 발로, 내가 갈 길 가야겠어. 장미처럼 땅에 묶여 있지 않고, 바람을 막을 필요도 없는걸.

두 발로 씩씩하게 걸어 시원한 바람을 맞으며. 멀고도 먼 저 오아시스를 향해.

오늘 밤에는 미운 마음이 싹 가시고, 이러지도 저러지도 못하는 자꾸만 막혀버리는 나이에 도착해 있는 너와 내가 보일 뿐이야. 널 보고 싶은 것은 둘째치고, 널 만난다고 하더라도 무엇을 할 수 있을까. 오래된 문제가 해결될 수 없어.

그때 난 너를 좋아했어. 네 마음과 생각이 궁금해서 눈이 말똥말똥했지. 너랑 나를 이어준 인연은 이제 정말, 난 왜 '끝'이라는 단어를 과장된 단어를 쉽게 썼을까. 정말 원한 건 끝이란 말이 아니었는데. 바꾸려면 내가 새로운 끈을 만들어야 하겠지. 너와 나의 끈이거나, 네가 아닌 다른 너와의 나의 끈이거나.

아직은 아무런 선택도 하고 싶지 않아. 난 여전히 널 생각해.

 내 마음속에 돌고래와 고래[1]가 있었다면 널 잃지 않았을 거야. 근데 내 마음엔 차가운 벽지와 어두운 공간에 웅크려 있는 아이만 있었는걸.

---

1) 구도나오코, 『친구는 바다냄새야』, 고향옥(역자), 초신타(그림), 천개의 바람, 2017 (명작. 한 번 읽어보시길)

6. 아주 불친절한 사람을 만났어. 잠깐의 시간이었는데 나에게 그렇게 느껴졌어. 동시에 자기 원칙을 따르는 것 말고는 생각하지 못하는 그 사람이 안쓰러운 마음도 들었지.

페미니즘 책을 읽으려고 했는데 다 못 읽을 것 같아서 그냥 왔어. 그리고 그걸 가지고 가는 내 모습을 상상해 봤는데 뭔가 부끄러웠어. 그래서 더 오늘의 나는 자신이 없어.

그래, 이렇게 자신이 없고, 왠지 소심한 날이 있어. 중요한 것들조차 중요하지 않다고 말하고 싶은 날이야. 정말 중요한 것이 뭐냐고 묻고 싶은 날이지. 이런 날엔 억지로 웃어보려고 해도 웃음이 나질 않아. 입꼬리만 올라가 있어서 무섭게 보이지.

며칠 전까지만 해도 사람들이 순지를 좋아해줄 것이라고 자신만만했는데. 오늘은 그렇지가 않네. 딱히 이유도 없어. 당신이라면 어떻게 강순지에게 기운을 불어 넣어 줄 거야?

"음, 일단 밥을 먹어."

－밥?

"응. 너 밥 안 먹으려고 그랬지."

－근데 이제 혼자 먹는 것도 지겨워.

"친구한테 연락해봐."

－싫어.

"친구 없지?"

－응.

"친구를 사귀어."

-싫어.

"왜?"

-그냥.

"뭐가 무섭니?"

-응. 아니

"걱정 마. 그런 일은 안 생길 거야."

-네가 그런다고 뭐가 달라져?

"넌 용기 있게 행동한 적 있어?"

-난 항상 내가 먼저 …. 아닌가. 이젠 뭐가 뭔지 잘 모르겠어.

"기다리지만 말고, 가슴 뛰는 일을 다시 상상해봐. 예전에 그랬던 것처럼."

-또 그래야 해? 그때 싫어.

"그때의 너와 지금의 넌 다를 거야. 그동안 시간이 많이 흘렀잖아."

그래. 이제 내가 무엇인가를 해내야 한다는 건 알겠어. 무서워한다는 것도 알아. 예전에는 무서워하지 않았는데. 그거 하나만큼은 다르네.

자꾸 아무 이유 없이 눈물이 날 것 같아. 그냥 문을 열고 지나가는 사람들인데도 말이야. 내가 너무 모르는 거겠지?

아직 이야기는 끝나지 않았어, 끝나려면 더 시간이 걸리겠지. 더운 여름이 지나고 점점 시원해지면 그때, 이야기는 끝이 날 거야.

11.

하지만 넌 날 이해해주지? 지난날은 모두 잊어. 그때의 난 너무 힘이 들어 아무것도 하고 싶지 않았어. 영부터 백까지 세면서 괜찮아지길 기다렸어.

가장 먼저, 0을 세면서 느낀 건 말이야. 나는 우주여행 중에 지구에 불시착한 우주 생명체라는 거야. 우연히 인간으로 살게 되었는데, 그게 '오늘의 나'를 만든 거지. 그래서 나는 지금도 여행 중. 자꾸 특별한 존재라고 느껴진 이유는 그거였어. 이 광활한 우주를 여행하던 중에, 스스로를 작고 작은 우주의 먼지 같은 존재라고 생각하는 그 틈에 길을 잃어버렸거든. 덕분에 지구에서 인간으로 살아가는 중인 거지. 언젠가 다시 돌아가야 하는데, 이제야 알게 되었네. 내가 지구인과는 다른 '특별한 생명체'라는 것을 말이야.

그리곤 1을 셌어. 하늘이 뿌옇게 보였어. 머리는 퉁퉁 불어 풍선 속에 들어 있는 것 같았고. 자꾸 하늘만 보고 걸었어. 팔을 하늘을 향해 쭉 뻗고 걸었어. 점점 뜨거워질 수 있도록. 집으로 돌아온 뒤에도 뜨끈한 느낌이 남아 있게.

다음은 2를 세었지. 집으로 돌아와서 얼음물을 벌컥벌컥 마셨어. 그리곤, 바로 바닥에 누워 잠들었어. 그때 아주 생생한 꿈을 꾸었어. 어, 내가 '꿈'이라고 했니? 그게 정말 꿈이었나? 꿈이 아니었던 것 같은데. 누군가가 하늘에서 말을 걸어왔지. 그리곤 돈을 던져 달래. 나에겐 돈이 한

푼도 없는데, 마침 지난번에 거리를 걷다가 주운 100원을 가방에 넣어둔 기억이 났어. 가방의 작은 주머니에서 100원을 하늘로 던졌지. 큰돈이 아니라서 걱정했는데, 괜찮대. 가격은 아무래도 괜찮다고 주기만 하면 된다고 하더라고. 그 사람은 뭐랄까, 글쎄. 이름을 말해줬던가. 기억이 안 나네. 그냥 임의로 '기억씨'라고 할게. 기억씨는 나에게 무슨 비밀을 말해준댔어. 그리고 나의 비밀을 알고 있었지. 그래서 난 당연히 내가 우주에서 왔다는 비밀을 알고 있다는 줄 알았는데, 그 비밀이 아니었어. 기억씨는 외로운 사람들만 찾아다닌대. 많은 사람들을 만나왔는데, 그 사람들은 기억씨를 만났다는 걸 평생 비밀로 부쳐두었기 때문에 알려지지 않은 거래. 그러니까 나한테도 기억씨에 대한 이야기는 비밀로 해야 한다고 당부했어. 기억씨는 외로운 나에게 선물을 주고 싶대. 그럼 기억씨를 내일도 만나야 한다고 하더라. 난 기억씨의 말을 전부 믿진 않았는데 기억씨가 뭔가를 준다는 말에 솔깃했지 뭐야, 내일 또 온다고 했어. 그땐 또 100원이 필요하겠지.

그렇게 하루, 이틀 난 기억씨를 만났어. 100일 되는 날 말이야, 그동안 나는 매번 10원, 50원, 100원을 기억씨가 있는 하늘로 던져주었지. 기억씨가 나에게 오늘은 아주 중요한 할 말이 있다고 했어. 오늘은 돈을 던질 필요가 없다고 했지.

기억씨가 말이야, 기억씨가…. 100일전의 내 모습을 보여주었어. 정말 살아 있는 나. 내 모습이었어. 혼자 방안에 웅크려 눈물을 흘리고 있었는데. 복도의 슬리퍼 끄는 소리, 옆집의 음악 연주 소리, 새벽에 마주친 벌레들. 이불을 푹 덮고 뒤척이다 결국 일어나 방의 불을 켜고 뜬눈으로 밤을 지새우는 나. 결국 잠들지 못한 아이.

기억씨가 그때 날 찾아왔어. 하늘에서 들리는 목소리, '이 봐, 돈을 좀 던져줘!' 난 두리번거렸고, '여기야 여기, 위를 봐!' 기억씨는 100원을 받고, '그래, 이거지. 난 돈을 무척 좋아해. 내일 또 올 테니 준비를 해두렴. 그리고 얘야, 울지 말거라. 내가 너에게 선물을 줄 거야. 내일 보자, 안녕.'

시간이 흐르고 흘러 99일이 되었을 땐 내 모습이 마치 아무것도 모르는 마냥 어린아이처럼 보였어. 그리고 기억씨를 만나는 동안 나는 한 권의 책을 만들게 되었어. 그 책이 바로, 나에게 줄 기억씨의 선물이라는 걸 알게 되었지. 그 책엔 이렇게 적혀있었어. 『… 웅크림』이 책은 바로, 슬퍼하는 나에게 주는 책이었지. 책의 글 중의 일부를 보여줄게.

안녕하신가. 안녕해요? 저는 지금 미래에 와 있답니다. 슬퍼하는 당신이 여기에 오기를 예전부터 기다렸어요. 만나서 반가워요. 난 당신이 이 책을 읽는 동안 당신의 슬픔과 이야기 나눌 거예요. 당신의 슬픔이 뭐라고 이야기할까요? 벌써 움트는 슬픔의 모습이 보이네요. 슬픔을 반겨주러 가야겠어요. 잠시 여기서 기다려 주시겠어요?

나는 글을 쓰면서 완성하지 못할 때도 많았어. 갑자기 중단하는 경우가 많았지. 그런데 이 책만큼은 끝까지 써서 완성한 거야.

난, 당신을 만날 수 있어서 참 행복했어요. 나에게 행복이란, '선물'과도 같은 거예요. 예상치 못한 때에 받은 선물과도 같은 것이죠. 당신의 슬픔이 나에게 말했어요. "너에게 아름다운 빛과 향기가 느껴지는구나." 난 당신의 슬픔을 사랑하게 되었어요. 참 행복한 시간이었죠. 우리, 다시 만날 수 있을까요? 다시 만나지 못한다고 하더라도, 난 당신이 어디로 갈지 아는 것 같아요. 그리고 난 그곳에서 당신을 기다리고 있겠죠. 날 잘 찾아오세요. 안녕, 또 만나요.

내 책은 이렇게 해서 끝이 나. 난 자꾸 허공으로 돈을 높이 높이 던졌고, 그 대가로 얻은 것이 이 책인 것 같아. 난 이제 아무런 여한이 없어. 세상이 어떻게 되어도 난 아무런 신경 쓰지 않을 거야. 이상한 말처럼 들리겠지만. 이제 난 말이야.

12. 기억씨와 헤어지고 난 뒤, 난 점점 일상으로 돌아오는 중이야. 여전히 기억씨와의 기억이 내 인생에 큰 영향을 미치고 있지만. 이제 기억씨가 기다리는 곳이 어디인지 찾아갈 수 있도록 연구해 봐야지. 기억씨는 어디에 있을까, 어디에서 내 슬픔을 기다리고 있을까.

–

눈치 채셨는지 모르겠지만. 저는 강순지가 아닙니다. 순지는 떠나버렸어요. 다시 '강순지 글'이라고 쓴 날부터요. 그래서 순지의 친구인 제가 이 글을 맡아 쓰고 있습니다. 강순지 에세이에 강순지가 빠져버리면 어떻게 하라는 건가 싶긴 한데. 당분간 순지를 만나기 어려울 것 같아요. 떠나기 전 순지가 이 글을 저에게 맡겨 버렸어요. 순지는 이렇게 말했어요. '그냥 네가 해봐! 넌 내가 될 수 있고, 난 네가 될 수 있어.' 순지는 결코 제가 되지 않을 거예요.

전 순지가 되고 싶지 않아요. 저는 저이고, 순지는 순지니까. 그런데 강순지 에세이는 쓰고 싶네요. 제 이름이 아닌, 강순지의 이름을 빌려 이 글을 쓰고 싶어요. 언젠가 순지가 다시 돌아올 것이라고 생각하면서요.

네, 암튼 이렇습니다. 순지 방식처럼 말하자면, '전 당신이 이 글을 아무렇지 않게 읽고 지나쳐 가지 않았음….' 에이, 어떻게 아무렇지 않게 읽고 지나가지 말라 할 수 있나요. 그냥, 아무렇지 않게 읽고 지나쳐 가세요. 당신은 말입니다. 이미 이 글을 읽고 있는 것만으로도 이전까지와는 다른 삶을 살게 될 겁니다.

왜냐구요? 이건 강순지 에세이이니까요.

나는 어떤 화나는 이야기를 들었어요. 아주 많이 들었는데 내가 아무것도 할 수 없는 것에 화가 많이 났어요. 그래서 너무 아픈 생각들을 많이 했어요. 나는 무서워서 피하고 싶어요. 알 수 없어서 피하고 싶어요. 나는 어디에 있는지, 나는 아니라고 말하고 싶은데 나는 아니라고 말해줬음 하는데 그럴 수 없어서.

〉〉 순지에 대한 단서 - 그의 글

이제 제가 대신 순지의 에세이에 적는 부분의 분량은 끝났어요. 이어지는 글은 순지가 저에게 우편으로 보낸 글들이에요.

1) 4월 소설 - 제목 : 꿈속에 사는 어른

나는 아직 공상에 잠길 때가 많은 어른이다. 그래도 사는데 문제가 없는 것이 인생은 생각처럼 복잡하지 않기 때문이다. 생각보다 나에게 어떤 사건, 사고가 일어나는 일은 거의 없다. 평화롭고 단순하게 흘러가는 내 삶에 만족한다. 어쩌면 시간은 이런 삶을 향해 가고 있었을 수도 있다. 사실 처음에는 상상하는 어른이 된 내 모습이 마음에 들지 않았다.

그동안 쓴 글을 누군가에게 보여준 적은 없다. 매일 이야기를 지었다. 누군가에게 보여주기 위함이 아니라, 나를 위해서. 글을 쓰고 다시 읽어보는 그 시간을 통해 나를 이해할 수 있다.

돈을 많이 버는 것도 좋다. 생기가 돌고 살아갈 원동력이 될 것이다. 그 사람들이 나를 어떻게 바라볼지 알고 있다. 하지만, 적당히 먹고 싶은 것을 먹고, 글을 쓰고, 책을 읽고, 하고 싶은 일을 하고, 잠을 자는데 많은 돈이 있어야 하는 건 아니다. 물론 처음에는 이런 삶을 살아가는 것이 빠듯할 것이다.

나는 사람들이 주로 어떻게 살아가는지 잘 모른다. 글을 쓰지 않으면 그 인생을 들여다 볼 수가 없게 된다. 하루하루 빠르게 흘러가는 시간 속에서 인생을 살아가려면 글을 써야 했다. 단순한 것이다.

2) 4월 소설 - 제목 : 착각

나는 아주 절절한 사람이다.

나는 아주 소심해.

나는 아주 작은 것으로 연결고리를 만드는 사람이다.

나는 계속 생각하고 잊지 못하고 있는 것 같다.

쉽게 떨쳐 내지 못해 창피하다. 이번이 벌써 몇 번째인지 모르겠다.

3) 4월 소설 - 제목 : 극적인 결말

소설이라고 하면 모름지기 극적인 절정을 향해 치닫고 결말을 맺곤 한다. 모든 소설이 그런 것은 아니지만, 나도 영감이 떠올라 열정적으로 쉬지도 않고, 잠도 안자면서 글을 쓰는 그런, 소설 한 편 쓰고 싶다. 그런 영감이 떠오르기까지 기다리기가 어려우니, 그냥 하고 싶은 말이나 해보련다.

내 이름은 '메이'다. 옆집 사는 이웃 이름이 무엇인지…. '순'이다. 옆집 사는 순이랑 나는 금세 친해졌다. 메이랑 순이. 너무 잘 어울리는 우리는 단짝친구가 되었다. 매일 만나서 같이 음식을 만들어 먹고, 재미난 이야기를 나누고, 공부도 같이하고, 운동도 같이하고, 필요한 것이 있어 나가야 할 때, 날씨가 좋아서 나가고 싶을 때 거의 모든 순간마다 함께 했다. 나는 순이가 있어서 무척 행복했고, 외로워도 외롭지 않았다.

시간이 흐르고 흘러서 순이는 이사를 갔다. 이사를 가서도 자주 만나자고 약속을 했지만 곧 나도 다른 곳으로 이사를 했고 마음처럼 자주 만나기가 쉽지 않았다. 나이가 들면서 각각, 순이의 일과 나의 일이 생겼기 때문이다.

지금에서야 예전과도 같은 순이와 나의 관계는 다시 있을 수 없는 일이라는 것을 알지만, 그때는 알지 못했다. 모든 사람들이 나와 순이와 같은 친밀한 관계를 맺는 줄로 알아서, 다른 사람과도 순이와 함께 했던 것처럼 지내보려 했으나 불가능한 일이었다.

(친구야, 이게 책이 될까?)

4) 4월 소설 - 제목 : 어른의 사랑

어른이 된다는 건 뭘까?

나는 2017년 4월 25일 밤 10시쯤. 갑자기 어른이 되었다. 이해가 되지 않았던 것들이 이해가 되고 더는 마음 졸이고, 엉뚱하게 생각하지 않게 되었다. 그리고 그 모든 것들에 대해 슬프다고 생각하지 않게 되었다.

나는 계속 <u>내가 특별하다는</u> 생각과 싸우고 있었다. 각자는 모두 특별한 존재이며 동시에 우주의 점과 같다는 생각을 계속하고 있었다.

나는 갑자기 어른이 되었다. 어린아이처럼 떼쓰다가 갑자기 어른이 되었다. 눈물을 많이 흘렸더니 어른이 되었나?

5) 4월 소설 - 제목 : 너와 나 그 결말

⟨너와 나, 그 결말⟩ (이렇게 큰 글씨로 한 번 더 적혀 있음.)

잔인했던 4월이 지나고 있다. 잘 버텨줘서 고맙다. 추운 겨울을 지나 새로운 시작의 계절 봄. 모든 것들이 쉽게 지나가지 않았다. 이 사월이 지나면, 이 계절이 지나면 난. 어디에 가게 될까. 이런 생각도 확신을 주는 문장은 아니지만, 여전히 어른이 되기 싫지만 어떤 사람이 될지는 약간의 그림이 그려진다는 것을 알게 되었으니 됐다. 어디에 있을지는 중요하지 않다. 어디로 갈지가 중요한 것이지! 이런 상투적인 말이 아무 생각 없이 나온다.

여전히 보고 싶고, 그립다. 그리고 이런 것들을 부정하지 않았다. 있는 그대로 느꼈다. 어리석다면 바꾸려고 했을 것이다.

지금까지 쓴 글들도 포함시킬지도 모른다. 이 글 중 읽어주었으면 하는 것들은 너를 위해 남겨둘 것이다. 네가 꼭 이 글을 읽을 수 있었으면 좋겠다.

6) 4월 소설 - 제목 : 뭐야 어제는 분명 어른의 사랑이고 다 잊었다며!

나는 달콤한 사랑의 편지가 아니라, 슬픈 변명의 글이 담긴 편지를 받았다. 하나도 기쁘지 않았다.

5월 - Story of Philosophy (SoP) : 불안함으로 반복되는 일상

불안함으로 반복되는 일상, 마음의 평온을 찾기 위해 시간을 들이다보면 하루가 저물어 있다. 내일은 달라질 것이라는 희망으로 잠자리에 든다. 여전히 한 끗 차이지만 다른 하루들이 모여 내가 만들어지는 또 하나의 인생. 나의 이야기를 하려고 한다. 누군가 읽어줄까 몰라 두렵고 외면받거나 내 초라한 모습을 그대로 비추는 시간이 될지도 모른다는 생각에 두렵지만, 일단 시작해보려고 한다. 무서우면 움츠러들다 사라지면 될 테니.

오래된 편지를 꺼내 모두 찢어버렸다. 단 하나의 순간들, 단 한 번의 기억들을 모두 지워버리고 싶어서. 그리곤 찢어진 채로 있는 조각들을 다시 편지봉투에 담아 놓았다. 찢어진 편지를 간직하고 있는 편이 더 나았다. 어떤 시기마다 새로운 무엇인가가 등장하는데, 나만 아직 최신의 것으로 동기화되지 않은 것 같았으니. 어느 날이면 서러워 울며 어두운 창문을 바라보던 '그대' 모습이 떠올라 마음을 앓을지도 모른다. 혹은, 좋은 경험이었다며 잠시 추억에 잠길지도.

5월 -(SoP)

금요일 아침이다. 그냥 써보려고 한다. 잡다한 모든 생각들을 옮겨 적는 것도 나름 괜찮은 것 같다.

오늘 날씨가 흐리다. 나는 운을 잔뜩 보았는데 다 마음에 안 든다. 그래서 또 다른 운을 찾아봤는데 역시 마음에 안 들었다. 마음에 드는 음식 찾기도 어렵다. 마음에 드는 사람 찾기도 어렵고. 마음에 드는 글쓰기도 어렵고, 마음에 드는 정답을 찾는 것도 어렵다. 마음에 드는 모든 것을 하기는 어렵구나. 사실 내 마음이 요즘 정말 혼란스럽고 뒤숭숭하다.

나는 나를 숨기지 않고 마음껏 표현한다. 내가 어떻게 보일지도 생각하지 않고 그냥 있는 그대로 보인다. 그럼 내가 어떤 모습을 고민하고 있었는지 알 수 있다. 사람들도 눈치 챌 수도 있고, 그렇지 않으면 시간이 지난 뒤에 내가 알아차린다. 금방 알아차리는 것은 중요치 않다. 언젠가 나에게 닿아서 알게 되는 것이 중요하다.

운세로 보면 이번 5월에 운이 지지리도 없어 보이기 때문에 5월 말까지는 좀 기다려야 하는 것 같다. 그동안 나는 해야 할 일들을 성실하게 하나하나 꾸준히 해 가면 될 것 같다. 그러니까 운을 믿지 말고 실제 행동을 해야 하는 것 같다.

5월 -(SoP) : 누구에게

누군가에게 내가 쓴 글을 보여주는 것은 정말 부끄러운 일이다. 아무한테도 보여주지 않는 일기 같은 글을 책이라고 보여주다니 말이다.

앞으로 더 많은 사람에게 내 글을 보여주어야겠다. 그러다 보면 피드백도 받고 그러면서 글도 나아지고, 나도 나아지겠지. 그런데 이 글은 진짜 정말 안보여 줄 것이다.

아예 다시 써야 할 것 같다. 옛날에 작가들 이야기를 보면 작가들이 출판사에 써도 아무런 답도 없다고들 하는데 나도 마찬가지인 것 같다. 이건 정말... 충격이다. 그리고 조바심이 든다. 정말. 조바심과 게으름은 죄라고 하던데. 휴.

5월 -(SoP) : 꿈을 믿는다면

12. 꿈을 믿는다면

누군가의 손목과 나의 손목 사이에 복잡하게 연결되어있는 보이지 않는 선 하나가 있다면, 그것이 바로 운명이다. 운명. 나의 운명이라 믿고 싶은 사람. 언젠가 만나게 될 사람이라고 믿고 싶은 사람.

요즘 글을 쓰면서 제목과 글 내용이 은근히 어울린다는 생각이 들었다. 어쩌면 그 글의 제목이 글의 전체적인 방향을 주도하는지도 모른다.

5월 -(SoP) : 별도 2, 분노

분노라고만 하면 부족하다. 이건 아주 복잡한 생각이 얽혀 만들어진 감정이다. 나는 앨리스고, 그 애는 루시다.[2] 루시는 원하는 것을 가지고, 앨리스는 가지고 있던 것을 잃는다. 처음에 난 내가 루시라고 생각했다. 시간이 흐르고 보니 난 앨리스다. 루시에게 자신의 인생을 걸 수 없었던 앨리스는 루시에 의해서 자신이 가진 것을 잃게 된다. 그리고 정신병원에 입원한다. 앨리스가 잘못한 것은, 자신이 루시가 될 수 있다고 생각한 것. 나의 분노는 앨리스의 것이다.

분노, 미움, 치욕, 복수심

분노가 아니라 미움.
미움과 복수심.

5월 -(SoP) : 기분전환

17. 기분전환

나는 아예 제도 안에서 벗어날 수 없다. 제도를 변화시켜야 한다고 생각하는 쪽이다. 자유로운 예술가를 보았을 때 두려웠다. 나는 저렇게 할 수 없기 때문이다. 제도 안에서 내가 어느 정도 가질 수 있다고 믿는 것들이 있기 때문이겠다.

---

2) 크리스틴 맹건, 『탄제린』, 이진, 문학동네, 2020

오늘은 가족 주말드라마가 생각나는 날이다. 여성주의, 페미니즘. 페미니즘이라는 것을 알게 된 후로 머리를 잘랐고, 친구들이 물어본 것처럼 연인과 헤어진 것도 아니고, 여자를 좋아한다는 걸 밝히려는 것이 아니라, 그냥 이런 것이었다. 침대에 누워 있다가 긴 머리카락이 너무 거슬려서 자르러 간 것이다. 이 긴 머리가 싫어서 짧게 자르고 싶다는 그 생각뿐이었다. 그렇게 하면 좀 나아질 것 같다고 생각했다. 그 이후로 콘텐츠들도 여성이 제작자인 경우, 그것의 수위가 조절되었다고 생각한다. 처음에는 비판을 일으킬 만한 것이었으나 요즘에는 적절한 정도를 찾아 나아가는 것 같다. 분명 여성운동이 바라는 것은 여성과 남성의 권력 교체가 아니라, 여성과 남성이라는 구별에서부터 벗어나는 것이라고 생각한다. 여성답다, 남성답다. 이러한 용어들도 사라지고, 그냥 한 사람으로써, 개인으로써 받아들여질 필요가 있다. 이를 위해서는, 스스로가 가지고 있는 문제점에 대해 불만을 가지고 예민하게 굴 필요가 있다. 그렇게 해야 자신이 느끼고 있는 부조리함이 무엇인지 알아차릴 수 있다. 지금 당장 편안하다고 생각하는 것은 정말 '쉽게 읽히는 글'이다. 다양한 개성을 가진 철학자들이 많이 생겨났으면 좋겠다. 그리고 우리는 그들과 교류하고….

5월-(SoP) : 질투

 질투에 눈이 멀 것 같다.

난 다시 태어난다 해도 그처럼 될 수는 없으니.

 악역이 될 것이다

두려운 것은 시간이 흘러 이 시간이 아깝게 느껴질 것에 대한 것이다.

5월-(SoP) : 보살
 어제 적은 글

<u>질투</u>
질투에 눈이 멀 것 같다.
난 다시 태어난다 해도 그처럼 될 수는 없으니.
악역이 될 것이다

 왠지 좋아서 다시 옮겨 적어 놓는다.

5월 - (SoP) : 사랑
사랑으로 인해 나는 더 많이 담을 수 있게 되었나 보다.
예전에 지어낸 이야기가 있다. 한 편의 장면에 대한 글을
쓴 것인데 내 인생이 정말 그 이야기처럼 되어서 깜짝 놀
랐다. 이제는 그 이야기에서 나와야겠다.

 (이어지는 글은 5월 일기 틈에 껴 있던 글이다.)

2012
 좋은 사람이던 그는 다시 만났을 때엔- 수척한 사람이
되어 있었다. 고 쓰고 싶지만 사실 그는 여전히 좋은 사람
이고 잘살고 있다. 그의 삶은 우주의 비밀 속에서 움직인
다.
 우주의 비밀이란 무엇인가. 호기심 많은 아이가 되어 보

는 것이다. 무의미하다는 생각에 빠지지 않고 아무것도 모르던 때로 돌아간다. 난 그렇게 하지 못한다. 이 점에 수치심을 느낀다.

혼란스럽고, 움츠러든다. 비관적이고 불합리하다. 거울을 못 본다. 숨고 싶다. 애벌레가 꿈틀거린다. 거친 털이 바짝 붙어 있다. 미운 것들에 눈길이 간다. 싫어하는 사람들은 볼 생각을 하지 않는다. 더 가까이 가서 본다. 노란 몸에 초록색 점이 찍혀 있고 주름이 사이사이 껴 있고 그 사이 거친 털들. 이제야 마음이 편해진다.

웃고 있는 사람들이 슬퍼 보인다. 웃고 있는 사람들이 얄밉게 보인다. 나는 하나도 즐겁지 않아. 웃어야 해. 웃으면 복이 와. 사람들과 교류해야 해. 그렇지 않으면 도태되고 위기에 빠지게 돼. 혼자가 아니야. 같이, 함께 하자.

내일도 하고 싶을까? 그다음 날도 하고 싶을까? 매일 하고 싶을까?

늦은 사랑이 좋다.

마음속에 품고 있던 질문을 지워버렸다. 잠시 조용히 머물기로 결정했다. 간단한 짐을 챙겨 나왔다.

6월 일기 : 울렁거림

하하, 5월 한 달 간 거의 매일 적었던 글을 한 곳에 모아 읽어보았다. 읽다보니, 내가 참 낯설었다. 이런 일기는 공개 못한다. 그리고 요즘, 나는 나밖에 모르는 것 같아서 책을 더 많이 읽고 사람을 더 만나야 한다는 생각이 들었다.

6월 일기 : 회복탄력성 키우기

나의 우울과 상실에 대한 주제

한편으로는 이해된다. 모든 감정에 놀라고, 있는 그대로의 감정을 느꼈다. 이런 감정을 느끼게 될지 몰랐다. 이 모든 생각들을 다 적을 수 없어서 답답한데 좋은 것, 나에게 좋은 것들을 보고 듣고 만지고 경험하고 싶다.

내 일부로 만들고 싶다. 나로 만들고 싶어.

나는 우주의 먼지와 같은 작은 존재이지만, 내가 좋아하는 사람에게 나는 그 누구보다 특별한 사람으로 보였으면 한다. 내가 친구들에게 느꼈던 감정을 내가 좋아하는 사람도 느끼기를 바란다는 것을 알게 되었다. 하나하나 다 예뻐 보이고 그 감정이 느껴지던. 나는 다른 사람에게서 좋은 점을 찾고, 사랑스러운 면을 찾는데 도사인데 이 관계에서 나는 상대방이 그러하기를 바랐기 때문에 아무것도 안 하고 기다렸다. 어떻게 해서 내가 그에게 관심을 가지게 되었는지는 모른 채. 지금도 나는 어떻게 사랑을 주는지만 안다.

만약 내가 누군가에게 또 좋아하는 마음을 가지고 친해진다면, 나는 그 사람과의 대화를 통해 알아차릴 것 같다. 나는 이제 하나씩 수정할 것 같다. 그게 인류의 미래에 긍정적인 영향을 주길 바라면서 말이다. 그래야 내가 나이가 들어도 이 세상을 아름답게 볼 수 있을 것 같다.

6월 일기 : 남

오늘은 타인이 정말 타인으로 보이는 날이다. 오늘은 정말 낯선 사람들로 보이는 날이다.

생각해보면 더 많은 것들이 남이고, 타인이다. 나는 왜 이렇게 타인을, 남을 좋게 보려고 했을까?

내 미래는 어떻게 되는가? 생각해 보지 않았다. 생각을 조금씩 해야 할 것 같다. 왜냐하면 나와 타인은 남. 나는 내 인생만큼 중요한 것이, 너는 네 인생만큼 중요한 것이 없는 것이니까.

다른 사람의 이야기가 담긴 책들도, 어쩌면 낯설게 느껴질지도 모르겠다.

제**2**장 숲속 오두막

프롤로그

#1. 어두운 복도

점점 멀어지는 걷는 폭이 넓은 누군가의 (또각, 또각) 구두 소리가 커지다 곧 작아진다.

(문밖에서 크게 들리는) 자신의 발에 걸려 미끄러진 듯한 어느 동물의 재빠른 발소리.

길고 재밌던 '시간'의 끝을 알리는 장면.

#2. 이름의 방

이름은 잠에서 깨어 자리에 그대로 앉았다. 어두운 방을 비추는 창문 사이로 보이는 불빛을 바라보았다. 사람들이 제각기 다른 방식으로 저녁을 보내고 있었다. 침대 아래로 떨어질 것 같은 베개와 이불을 정리하고 일어나 커튼을 쳤다. 오늘도 주어진 하루의 시간이 끝이 나고 새롭게 변해가고 있었다. 여전히 보고 싶지만 기다릴 수 없었다. 이름은 미소를 지었다.

#3. 공원

캐럿은 휘파람을 불고 있었다. 해가 질 무렵의 보랏빛 하늘이 아름다웠다. 아직 하지 못한 이야기가 많았다. 아쉽고 섭섭한 마음이 들었다. 사람들이 지나가는 모습을 물끄러미 바라보고 있었다. 어딘가 분주해 보였지만 왠지 좋은 기운이 느껴졌다. 사람들은 새로운 시작이 가까워 지고 있다는 걸 분명히 알고 있었다. 변화의 시작, 캐럿은 그 시작점에 있었다. 자리를 털고 일어나 어딘가로 걷고 있었다.

#4. 이름의 방

이름은 느리게, 아주 느리게 하루를 시작했다. 만약 누군가 이름에게 행복한지 묻는다면 한참 뒤 답할 것이다. '행복했어요. 지금도 그렇고, 어떤 일 때문에 불행해지는 일은 없어요.' 하지만 대답하기 전에 누군가는 이름에게 초콜릿을 줄 것이다. '이 초콜릿을 먹으면 행복해질 거예요. 당신이 행복하길 바라요.' 이름의 대답은 허공에 묻힌다.

　새소리와 아이들의 웃음소리가 들렸다. 창문 밖을 내다보았지만 아이들은 보이지 않았다. 어느 맑은 오후였다. 우편함에 봉투가 보였다. 이름은 봉투를 꺼내 보았다. 봉투를 뜯어 종이를 펼쳤는데 시원한 향이 났다. 종이에는 아무것도 적혀 있지 않았다. 이름은 종이를 가지고 다시 집으로 들어온다.

　부엌 선반에서 투명한 액체가 담긴 물병을 꺼내 종이에 붓는다. 종이가 몽땅 젖어버렸다. 그리고 식탁 위 바구니 안에서 성냥을 꺼내 불을 붙인다. 불꽃이 빠르게 사라지고 말끔해진 종이에 적힌 글이 보인다.

"오랜만입니다. 평안하신지요. 이름님과 음악회를 함께 하고자 편지를 보냅니다. 이번 공연에는 [하늘], [바람], [거울의 방], [100] 과 같은 거장들이 무대를 장식할 예정입니다."

　이름은 한 번 더 성냥에 불을 붙여 종이를 없애고 책상에 앉아 참석하겠다는 편지를 썼다.

#5. 산
　캐럿은 해가 뜨는 모습을 보기 위해 이른 아침 산에 올랐다. 숨을 크게 들이마시고 내려다보이는 풍경을 바라보았다. 캐럿은 주머니에 들어 있는 종이를 꺼냈다. 편지에서는 달콤한 냄새가 났다. 캐럿은 가방에서 물병을 꺼내 편지에 부었다. (이름이 했던 것처럼) 그리고 자켓에서 라이터를 꺼내 불을 붙였다. 불의 세계로의 초대장이었다. 캐럿은 눈을 감고 숨소리를 들었다. 두근거리는 심장 박동이 느껴졌다. 어떤 일을 경험하게 될지 궁금했다. 걱정되지는 않았다. 숨길 수 없이 기쁜 미소가 지어졌다.

1장

한동안 웃지 않았다. 웃음이 나지 않았다. 웃을 수가 없었다. 이름은 종일 의자에 앉아 세상을 바라보았다. 이젠 어리석은 믿음이 된 것들을 믿지 않기 위해서 계속해서 생각했다. 정원에는 '많은 꽃'이 있고 나비와 벌은 꽃을 찾아 날아간다. 저 너머에도 정원이 있고 역시 많은 꽃이 있으며 나비와 벌은 꽃 주변을 날아다닌다. 자세히 볼수록 꽃들은 아름다웠고 나비와 벌은 얼마든지 꽃을 바라보고 함께 할 수 있다. 이건 당연한 것. 이름은 계속해서 되새겼다. 나비와 벌들이 찾아오는 것은 당연한 거야. 슬픈 일이 아니라 아름다운 일이야. 다시 꽃이 피게 해주니까. 나비와 벌들은 언제든지 꽃에 앉아 쉬어가겠지. 꽃들은 그것을 반길 거야. 그들이 외롭지 않게 말을 걸어줬으니까. 그들의 공허함을 채워주었으니까. 그들이 행복하게 해줬으니까.

이름은 제대로 세상을 바라볼 수 없었다. 이름이 쥐고 있던 모든 것을 놓아버리고 싶었다. '화려하고 아름다운 낯선 도시', '새롭고 이전에 없던 나를 발견하는 경험', '평화롭고 여유로운 생활', '농촌에서 자급자족'은 이젠 이름의 삶을 지탱해줄 수 없었다. 이름은 아무것에도 의지할 수 없다고 생각했다. 단지 자신만을 믿을 수 있었다. 그 어떤 것도 따르고 싶지 않았다. 이름은 어디로 가야 할지 몰랐다. 머리가 어지럽고 바람이 불어 몸이 으스스 떨렸다. 바람이 너무 세어 옷으로 감춰도 사라지지 않았다. 눈을 감았다. 내가 아직 하지 않은 것이 무엇인지 생각했다. 누리지 못한 기쁨의 순간을 상상했다. 그 순간이 정말 이름에게 기쁜 순간을 주었을까. 화를 내었다. 분노, 그것을 신경 쓰지 않고 표현했는데, 그것은 더 큰 화로 이름의 마음을 찢어 놓았다. 웃음 짓던 날들이 그리웠다. 이름은 지금 여기에 서 있었다. 거센 비바람이 모질게 부는 어두운 황야에 홀로 외로이 서 있었다. 이름은 아무 말도 할 수가 없었다. 목소리가 나오지 않았다. 마음속에 있는 분노를 꺼내 보여주고 싶었다. 그것은 뚜렷한 기억의 뭉치였다. 날카로운 비바람을 멈추려면 이곳을 벗어나야 했다. 저 멀리 오두막에서 불빛이 새어 나오고 있었다. 돌아간다면 후회할 것이고 되풀이 될 것이다. 이 비바람 속을 다시 거쳐야 했다. 무엇을 원하는지 희미했던 이름은 비바람이 끝나기를 기다렸다.

　　캐럿은 자신이 속았다는 것이 화가 났다. 사실은 속인 사람의 잘못만이 있다는 것을 알고는 화를 누그러뜨렸다. 그 사람에게 복수를 하고 싶었다. 그냥 넘어갈 수 없었다. 캐럿에게는 자신만의 선이 있었고 그것이 누구에게나 있을 것이라 생각했다. 하지만 캐럿 자신도 그 선을 믿을 수 없었다. 애매모호한 일들이 많았기 때문이다. 캐럿은 더이상 그 선을 긋지 않고 지워버렸다. 마음 가는 대로 행동했다. 캐럿은 자유로웠다. '자유' 그것이 주는 활력에 캐럿은 매일을 힘차게 시작할 수 있었다. 조금만 노력하면 캐럿은 그 자유를 쉽게 얻을 수 있었다. 캐럿은 그 노력을 자신만이 할 수 있는 것이라고 생각했다. 그것이 자신에게 자유를 가져다 주는 도구라고 생각했다. 그러다 문득, 어느 날. 캐럿은 그 노력을 멈췄다. 그럼에도 불구하고 여전히 캐럿은 캐럿 자신이며 자유롭다고 생각했다. 캐럿이 노력을 놓아버린 순간, 예전과는 다른 세상이 보였다. 보지 못했던 것들이 느껴졌다.

밤이 되면 하늘에 폭죽이 터졌다. 다음 날도 그 다음 날도 마찬가지였다. 멈출 줄을 몰랐다. 끝까지 가지 않은 날이 없었다. 죽을 만큼 온 힘을 다해 즐겼고 그 모습이 멀리선 절규처럼, 마지막 발악처럼 보였지만 한편으로는 그것을 마음 편히 표현하지 못하고 살아왔다는 것이 안쓰러웠다. 어느 누가 그를 말릴 수 있었을까. 많은 사람들이 그를 스쳐 지나갔다. 그의 인생을 변화시킬 한 사람이 되고 싶다는 바램으로 얼마동안 곁에 머문 사람도 있었다. 왠지 함께 있으면 있을 수록 다른 사람과 별반 다를 것이 없다는 생각이 들었다. 그는 '사람'을 잊지 못하고 있었다. 누군가를 만나도 그 속에서 그 '사람'의 모습을 찾았다. 그것을 알아차리는 사람은 많이 없었다. 하지만 그를 오랫동안 봐온 사람이라면 그가 누구를 찾고 있는지 알 수 있었다. 다시는 돌아올 수 없을 '사람'이었다.

이름은 오두막 문 앞에 멈춰 섰다. 불빛이 있었지만 누군가 있는지 확실하지 않았다. 몇 번이나 문을 두드렸지만 아무런 인기척이 없었다. 문을 그냥 열어도 될까 생각했지만 주변에는 이곳 외에 갈 수 있는 곳이 없었다. 이름이 가야 할 곳은 어디일까. 이름은 문을 열었다. 열자마자 따스한 온기가 느껴졌다. 그리고 벽난로 불을 쬐고 있는 누군가가 보였다. 아주 늙어 보였다. 허리가 굽어 땅에 닿을 듯했고 무언가를 읊조리고 있었다. 이름은 불에 가까이 다가갔다. 인사를 건넸다. "밖이 너무 추워서 견딜 수가 없었어요." 노파가 고개를 아주 천천히 들어 이름의 얼굴을 살펴보았다. 눈이 빨갛게 충혈되었다. 얼굴에 까슬한 수염이 나 있었다. " 하, 하 지 메 마시데 " 이름은 처음에 무슨 말을 해야 할지 몰랐다. 사실 그가 무슨 말을 한 것인지 몰랐다. 글자처럼 명확한 발음이 아니었다. 계속 같은 말만 반복했고 그제서야 이름은 노파가 일본어로 '처음 뵙겠습니다.' 라는 말을 하고 있다는 것을 알아차렸다. 이름은 일본어를 할 줄 몰랐다. 간단한 인사 정도만 알았을 뿐이다. 하지만 곧 유창한 일본어 실력이 필요 없음을 느꼈다. 노파가 중얼거리고 있던 것은 일본어 숫자였다. "이치니 산 욘 고로쿠 나나 하치 큐우 주우" 누군가 뒤를 따라온다는 듯이 빠르게 숫자를 외웠다. 이번엔 "와, 와타시노…" 충혈된 눈으로부터 이름은 두려움과 동시에 슬픔을 느꼈다. 그는 과거에서 온 것이 틀림없었다. 총을 들고 다니는 사람들, 아무렇게나 집에 들어가 물건을 가져가는 사람들, 교탁에서 학생을 때리는 사람들. 말도 안 되는 장면들이 순식간에 떠올랐다. 이름이 노파와 대화를 하고 싶었다고 생각한 순간 그는 이름의 소매를 잡더니 매섭게 잡아당겼다. 노파의 손아귀 힘이 세어 쉽게 뗄 수 없었다. 이름은 그 눈매를 잊지 못했다. 이름은 서둘러 오두막에서 나와 다시 비바람이 부는 밖으로 나왔다. 가뿐 숨을 들이 마셨다. 갈 곳이 정말 없었다. 더 이상 눈물을 흘릴 수도 없었다. 오두막 뒷편에 갈대가 쌓여 있었다. 갈대를 모아 그 위에 누웠다. 이대로 잠이 들면 영영 눈을 뜰 수 없을 것 같았다. 그렇게 되어도 좋았다.

캐럿은 바닥에 누워 하늘을 쳐다보고 있었다. 구름이 천천히 움직이는 모습을 보는 것이 좋았다. 바람이 살랑 불어오는 것이 좋아 가볍게 눈을 감았다. 키가 아주 큰 사람이 보였다. 긴 나무로 만든 가짜 다리를 발 아래 고정시켜 다리가 아주 길어 보이는 사람이었다. 둥글게 말린 머리카락을 늘어뜨리고 캐럿에게 다가와 달콤한 솜사탕을 건넸다. 캐럿은 그 사람이 무섭지 않았다. 주변의 아이들은 솜사탕을 받아들고 엉엉 울고 있었다. 캐럿은 솜사탕으로 입을 가져갔다. 달콤했지만 왠지 이상한 냄새가 났다. 입 주변에 묻은 색소 사탕을 닦아주던 손은 따뜻했고 떨리고 있었다. 키가 아주 큰 사람은 울고 있었다. 그는 기쁘지 않았다. 아이들이 모두 돌아갔을 때 캐럿은 그 사람에게 다가갔다. "눈물이 났어요?" 아주 큰 사람이 얼굴을 돌리며 캐럿을 바라봤다. 얼굴이 눈물 범벅이었다. 캐럿은 심장이 두근거렸다. 한 걸음 뒤로 걸어갔다. 키가 큰 사람은 눈물을 닦고 주머니에 있던 슈크림 붕어빵을 건넸다. "다 식었지만." 캐럿은 붕어빵을 받지 않고 멀끔히 쳐다보기만 했다. 키가 큰 사람은 캐럿에게서 시선을 떨구고는 다시 주머니에 빵을 넣었다. "너도 어서 가렴; 늦기 전에." 캐럿은 가고 싶기도 하고 계속 머물고 싶기도 했다. "붕어빵이 왜 주머니에 있어요?" 잠시 뜸을 들이더니 그 사람은 말을 해주었다. "슈크림 붕어빵이란다. 내가 어릴 적에 아주 좋아하던. 팥 붕어빵은 절대 먹지 않았어. 팥을 먹으면 기분이 안 좋아지거든. 빨간색 스카프를 두르고 있던 사람은 붕어빵을 파는 거야. 그러다 어느 날 사라졌어." 캐럿이 다시 물었다. "왜?"

"외계에서 푸른 빛의 보석을 가지려고 온 거야. 빨간색 스카프를 두른 사람은 떠난 거지."

캐럿이 말했다. "보석을 숨기려고 그 빨간색 스카프를 두른 사람이 도망간 거예요?"

키가 큰 사람은 의아하게 캐럿을 한 번 쳐다보더니 다시 말을 이었다. "내가 그 보석이 어떻게 생겼는지 알고 있단다."라고 말하면서 반대편 주머니에서 보석이 그려진 종이를 꺼냈다. 캐럿은 한숨을 내쉬며 종이를 받아 들고 관심 있다는 듯이 들여다보았다. "이게 보석인가?" 키가 큰 사람은 이리저리 손가락을 가리키며 설명을 했다. 별거 없는 보석 그림이었다. 캐럿은 그 사람에게 이 보석이 소중하다는 것을 알 수 있었다. 캐럿은 주변을 두리번거리다 그 사람에게 말했다.

"저기서 뭘 좀 해야 해서." 사실 딱히 할 일은 없었다. 캐럿은 키가 큰 사람에게서 점점 멀어졌다.

캐럿이 눈을 떴을 때 여전히 구름이 천천히 흐르고 있었다. 아까보다 주변에 사람들이 많아졌다. 캐럿은 몸을 일으켜 앉았다. 멍하니 오가는 사람들을 지켜보았다. 숨을 들이쉬고 다시 내 쉬고. 저마다의 감정이 느껴졌다. 날씨가 좋아 들떠 있는 사람들, 해야 할 일이 어려워 걱정하는 사람들, 배가 고파 의욕 없는 사람들. 캐럿은 그 어디에도 없었다. 그때 갑자기 바람이 거세지더니 비가 내리기 시작했다. 캐럿도 비를 피하기 위해 건물 안으로 들어왔다.

그는 절대 먼저 말하지 않았다. 사람들은 그의 마음이 뻔히 들여다 보이는 듯했다. 대부분의 사람들은 그런 그가 왠지 모르게 불쌍했고 도와주고 싶었다. 이것이 그가 가진 이상한 힘이었다. 어렸을 때부터 원하는 것을 말하지 않고도 얻었다. 그의 눈동자가 그랬고 그의 얼굴 표정 전부가 그랬다. 이유를 몰랐지만 사람들이 자신을 도와준다는 것을 알았고 거절하지 않았다. 그렇다고 고마워하지도 않았다. 그를 처음 본 사람이라면 누구나 도움을 줄 것이다. 다음 날 자신이 누구에게 어떤 도움을 받아서 무사히 잠에 들었는지 알지 못함에도 불구하고.

비가 오는 어느 날이었다. 사람들은 모두 건물 안에 있었다. 조금 전부터 머리가 지끈거리고 밖으로 나가고 싶었다. 사람들은 그가 나가는 것을 의식하지 않은 척하면서 의식하고 있었다. 그가 나가자 분위기는 점차 식어버렸다. 그는 밖으로 나가 비를 피하고 있는 저 멀리 서 있는 사람을 멍하니 바라봤다. 계단을 내려오는 내내 누군가 그를 기다리고 있는 것 같은 느낌이 들었다. 오래전에 알고 지내던 사람일 것이다. 나를 아주 잘 아는 사람. 하지만 그는 저 멀리 서 있는 사람이 누구인지 알 수 없었다. 멍하니 쳐다볼 수밖에 없었다. 아주 오랫동안.

　　　이름은 아주 오랫동안 잠들었다. 그러다 누군가의 발소리가 들렸다. 어두운 새벽이었는데 많지도 적지도 않은 사람들이 모여 있었다. 응급차가 있었다. 비바람이 그친, 언뜻 보면 평화로운 밤하늘이었다. 이름은 사람들이 모여 있는 곳으로 가까이 다가갔다. 누구를 위한 것인지 알 수 있었다. 어떤 사람은 눈물을 흘렸고 어떤 사람들은 생각에 잠겨 있었다. 과거가 끝나가고 있었다. 새로운 과거가 만들어지고 있었다. 이름은 가까이 다가가려다 멈췄다. 그 자리에 그대로 있었다. 발이 떨어지지 않았다. 잠시 숨을 고르고 생각을 하려고 했지만 잘되지 않았다.

　사람들이 모두 떠나고 이름은 어두웠던 뒤편에서 일어나 숨을 골랐다. 하늘이 다시 까맸다. 별들이 촘촘히 빛나고 있었다. 이름에게 우수수 떨어질 것 같았다. 조용히 걸어 오두막으로 들어갔다. 따뜻했던 벽난로가 꺼져 있었다. 아무도 없어 싸늘한 느낌이 들었다.

　이름은 처음에 보이지 않았던 방문을 발견했다. 방이 있을 것이라고는 생각하지 못했다. 그때 방안에서 인기척이 느껴졌다. 이름의 심장이 쿵쾅거렸다. 방문을 열고 깨끗한 옷차림의 사람이 나왔다. 이름은 무척 놀랐지만 침착했으나 남자는 이름과 눈을 마주치는 동시에 겁에 질린 표정이었다. 둘 다 아무 말이 없었다. 남자는 헛기침을 하면서 숨을 내쉬었다. 이름은 방문 뒤로 뭔가 움직이는 것을 보았다. "여기에 머물고 싶어요." 이름이 말을 꺼냈다. 남자는 이름을 빤히 들여다보았다. 이름은 방으로 다가갔다. 아무것도 없었다. 하지만 분명히 움직이는 것이 있었다. 남자가 방 안으로 들어왔다. "난 여기에 살아요."라고 재빠르게 말하면서 침대를 옮긴 뒤 손가락으로 바닥 아래쪽의 문을 가리켰다. 방안에 또 다른 문이 있었다. 이름은 바닥을 들어 올리자 땅 냄새 같은 것이 났다. 이름은 남자를 바라봤다. "땅 냄새가 나네요." 남자는 이름을 바라보고는 시선을 떨구었다. 그러더니 안으로 들어갔다. 이름은 남자를 따라 들어갔다.

숲속 같은 곳이었다. 물이 흐르는 소리가 들렸다. 이름은 두리번거리며 나뭇잎 사이로 가려진 하늘을 보았다. 남자는 이름의 옆에서 나란히 걷고 있었다.

바람에 나무가 살랑 흔들렸다. 꿈속에 들어와 있는 것 같았다. 계속 앞으로 걸어갔다. 그러다 남자가 멈추고 불을 피우고 있는 누군가를 가리켰다. 짧고 붉은 머리카락에 무엇으로 만들었는지 알 수 없는 옷을 입고 있었다. 이름은 가까이 다가갔다. 불 피우던 사람이 고개를 들어 이름을 바라봤다. 이름은 맞은 편에 섰다.

"난, 캐럿이야." 캐럿이 일어서면서 말을 건넸다. 이름은 불빛을 계속 쳐다보았다. 아무렇지 않은 듯 다시 자리에 앉은 캐럿이 말했다. "나랑 같이 갈래?"

"어딜 가?" 이름이 물었다. "오두막 할머니가 돌아가시기 전에 부탁하셨어. 시간이 지배하고 있는 세상과 싸우라고. 싸우려면 어디론가 가야 하잖아." 캐럿은 이름을 멍하니 바라봤다.

"그냥 우리 같이 가자." 이름은 가만히 캐럿을 보고 있었다. 크게 숨을 들이마시고 내쉬었다. 이런 날을 기다렸지만 정말 가고 싶은 건지 알 수 없었다.

이름에게 이런 날들이 많았다. 사람들은 이름에게 여러 가지를 권했다. 그때마다 감사한 마음으로 그것을 받아들였다. 결국 이름에게 나쁜 것은 없었다. 대부분 거절하는 법이 없었고 잘 해내었기 때문에 한편으로는 이름이 성장하는 것 같기도 했다. 이름에게는 나름의 선이 있었기 때문에 어떤 이들은 절대 부탁하는 일이 없었다. 이름이 살아온 규칙이었다. 이름은 곤란한 상황에서 어떻게 해야 할지 알고 있었다. 이름은 끝없이 꿈을 꾸었다. 꿈은 멈추지 않았고 꿈을 꾸는 날이 많아질수록 할 수 있는 일이 많아졌다. 더 많은 것을 참을 수 있었고 마음이 안정되고 평화로운 때도 있었다. 꼭 한 번쯤은 의심스러운 날이 있었다. 이름은 그럴 때마다 고통스러웠다. 잘못되고 있는 것이 무엇인지 알고 싶었지만 알 수가 없었다. 아무리 봐도 무엇이 문제인지 알 수 없었다. 이름은 어딘가로 숨어버리고 싶었다. 하지만 그것은 꿈속에서나 가능한 것이었다. 무엇이든 피하고 싶었다. 그것 또한 꿈속에서만 할 수 있었다. 그토록 열심히 하는 이유를 알 수 없었다. 당장

이유는 알고 있었지만 마음속에는 그보다 많은 생각들이 복잡하게 떠오르고 있었다.

알고 있었다. 어느 날엔 작은 동굴에 사는 사람을 만났다. 이름은 그가 건네준 풀잎을 삼키고 그와 같은 몸집의 사람이 되어 동굴에 들어갔다. 이름은 그와 많은 대화를 나누고 싶었다. 자신이 꾸는 꿈 이야기를 해주면 그가 알아주길 바랐다. 그러나 그는 점점 지쳤다. 그는 이름을 이해할 수 없었다. 그의 어깨에 기댈 때면 그는 꼭 다른 생각을 하는 것 같았다. 그가 이름에게 부탁을 했던 어느 날, 이제는 그와의 시간을 견딜 수 없었다. 이런 마음을 알았는지 그 또한 풀잎을 주지 않았고 자꾸만 몸집이 커지는 이름은 작은 동굴을 나가야만 했다.

이름은 오랜 시간 동안 그를 생각했다. 그가 보여준 작은 연못과 수다스러웠던 잉어. 동굴에 머물며 그에게 이름의 모습을 보여줘야 한다는 것이 고통스러웠다. 이름은 종일 걸었다. 어디로 가는지 알 수 없었다. 다리가 너무 아파 쉬고 또 쉬었다. 아무도 모르는 곳으로 갔다. 어느 날엔 비가 왔다. 바람이 너무 세고 비가 너무 많이 내렸다. 길에는 아무도 없었다. 발에 온통 진흙이 묻어 있었다. 소리치고 싶었다. 이름은 꿈을 꾸기 싫었다. 지긋지긋한 꿈. 머물고 싶지 않았다. 아무것도 제대로 되지 않았다. 비바람 속을 걷던 중에 오두막을 발견했다. 노파를 만난 뒤 오두막을 나와 뒤편에서 잠이 들었다. 그리고 지금 캐럿은 다른 사람들이 그래왔던 것처럼 이름에게 부탁한다.

원래대로라면 이름이 물어야 할 것을, 처음 본 캐럿이라는 사람이 이름에게 묻고 있다. 꿈, 꿈만 같았다.

만약 이름이 없다면 또는 있다면. 그 평화가 유지되었을까? 이름이 조금만 더 노력했다면. 어린아이처럼 굴지 않았더라면. 어른스럽게 굴었다면. 성숙했다면. 새빨간 와인이 담긴 유리잔이 바닥으로 떨어질 때마다, '내가 그 것을 받았더라면' 하고 생각한다. 이름은 성숙하기를 바랐으나 아무것도 하지 못했다. 슬퍼하고 소리치고 눈물을 흘리며 후회하고. 무엇이 잘못되었는지 알 수가 없다. 그렇다고 놓아버릴 수도 없다. 캐럿. 이 아이가 내민 손을 잡는다면 영영 돌아오지 못할 것 같았다. 사람들은 다른 누군가, 이름을 대신할 이름을 찾을 것이다. 그렇게 되어서는 안 될 것이었다. 하지만. 하지만. 할 수 있지 않을까. 저마다의 조명. 그 조명은 언제나 나를 따르고 있고 그것은 누구에게나 그렇다. 캐럿. 이름. 캐럿. 이름.

남자는 퀭한 얼굴로 캐럿과 이름을 따라가고 있었다. 이 두 사람을 계속 따라가도 될지 알 수 없었다. 하지만 돌아가는 방법도 알지 못했다. 캐럿은 별다른 변화가 없었지만 이름은 조금씩 달라지고 있었다. 한 번에 여러 가지 표정 변화를 볼 수 있었다. 바싹 마른 낙엽 같던 이름의 얼굴에 조금씩 생기가 돌기 시작했다. 남자는 그런 이름의 표정을 보면서 자기 발을 내려다봤다. 캐럿의 발을 보고 이름의 발을 보고. 다시 이름의 얼굴을 보고. 캐럿과 이름 모두 자신을 신경 쓰지 않았다. 하지만 분명 함께 걸어가고 있다는 것을 알고 있었다. 숨을 쉬는 것과 같이 함께 걷고 있다는 것, 그것은 분명히 알고 있었다.

그는 자신이 없었다. 그래서 노력했다. 주변 사람들은 그를 도와주려고 했다. 부탁한 적도 없지만 그를 도와주었고 기쁘게 했고 사랑을 주었다. 자신이 없을수록 노력하면 사람들이 그것을 알아봐 주었다. 잘해보려고 해도 마음처럼 되지 않을 때도, 사람들은 괜찮다고 해주었다. 정말 듣고 싶었던 말이었다. 잘못된 방향으로 가려 할 때 사람들은 알려주었다. 어떤 길로 가야 할지 알 수 없을 때, 가장 좋은 길을 알려주는 사람들이 언제나 그의 곁에 있었다. 그럴 때마다, 놀라울 뿐이었다. 믿을 수 없을 만큼 세상이 이렇게나 쉽고 아름다운 곳이었다니. 자신이 없다면 노력하면 된다. 안될 것이 없었다. 참을 수 없고, 잊을 수 없는 기억을 떠올리지만 그건 이전과 같은 감정이 아니었다. 어쩌면 애틋했고, 슬프기도 했고, 자연스러웠다.

　　　　캐럿은 뒤를 돌아 남자를 바라봤다. 잘 오고 있지? 남자는 고개를 끄덕이며 미소를 지었다. 먼저 앞으로 갈래? 캐럿이 뒤로 오고 남자는 앞으로 걸어갔다. 이름은 생각에 잠겨 있었다. 마음속으로 단어들을, 문장들을 흥얼거리고 있었다.

풀잎. 이슬. 아름다움. 세상을 찾으려거든 묻지 마세요. 느릿느릿 달팽이가 품었으니 멈추라고 하지 마세요. 흙냄새가 좋아서, 폴폴 밥 짓는 냄새에 잠이 솔솔. 하늘을 가리지 마세요. 어디로 가야 할지 모르니.

캐럿은 고통스러웠다. 과거의 기억들이 예고 없이 떠올라 고통스러웠다.

"네가 어떻게 그렇게 말을 해? 어떤 힘이 남아서 그런 말을 할 수가 있어? 네가 뭘 알아? 똑같이 당해봐. 인생 전부를 숨 막히게 살아. 역겨워.."

캐럿. 캐럿의 마음이 요동치고 있었다. 아직도 변한 것이 아무것도 없었다. 많이 변했다고 생각했는데 여전히 제자리에 서 있는 느낌이 들었다. 도대체 할 수 있는 일이 무엇일까? 이름과 함께 걷고 있었다. 이름을 만나면 무언가 달라질 것이란 느낌이 들었지만, 그렇지 않았다. 이름은 자신을 알아보지 못했고 이전과는 달라 보였다. 오랫동안 걸은 탓인지 아물지 않은 상처가 쓰라렸다. 이름은 스스로 기억해 낼 것이고, 동시에 사라질 것이다. 캐럿의 몸은 산산조각났다. 살이 패이고 흉터가 생겼다. 끔찍한 벌레가 몸을 기어 다니는 느낌을 잊을 수 없었다. 종일 방안에 갇혀 있었다. 끔찍한 남자가 방으로 들어온다. 남자를 물어뜯고 밟는다. 기름을 쏟아붓고 성냥에 불을 붙인다. 살가죽이 타는 냄새. 죽음에 가까워지는 남자의 발악. 캐럿은 카메라에 대고 말한다. "똑똑히 봤지. 기다려, 한 명도 빠짐없이 너희 다 똑같이 할 테니까." 사람들은 서둘러 방을 나간다. 캐럿은 마지막 순간까지 역겨운 구더기가 까만 재가 될 때까지 지켜본다. 그것이 시작이었다.

이름은 점점 숨이 차기 시작했다. 쉬지 않고 너무 오래 걸은 탓이었다. 이름은 캐럿과 남자에게 잠깐 쉬어가자고 이야기했다. 막상 자리에 앉으니 더 큰 피로가 몰려왔다. 이름이 캐럿에게 물었다. "얼마나 가야 해?"

"조금만 더 가면 돼. 거의 다 왔어." 남자는 캐럿이 아주 빠르게 인상을 찌푸리는 표정을 보았다. "우리, 정말 시간과 싸울 수 있을까?" 이름이 물었다. 캐럿의 눈치를 살피더니 이번엔 남자가 대답했다. "그럼, 내가 시간을 한 번 만나 본 적 있는데. 별거 없어. 시간은 자기 자신을 잘 알아. 필요한 것이 뭔지 명확히 알고 있지. 그리고 그걸 숨기지 않아. 자신이 무엇을 원하고 있는지 말이야. 만약 시간을 만나기만 한다면 이야기를 통해 많은 것들을 가져올 수 있을 거야." 남자는 시간, 그리고 시간의 세상에 대해서 이야기하기 시작했다.

"처음 시간의 세상에 갔을 땐 그곳에 살려던 거였어. 나의 세상에서 살기가 너무 힘들었거든. 어디서부터 뭘 해야 할지 아무것도 모르겠는 마음이었어. 분명히 내가 좋아하는 일을 찾아서 하게 된다면 기쁠 것 같았는데 생각만큼 쉽게 풀리지 않더라고. 도대체 뭐가 문제인지 알 수 없었지.

어느 날 알고 지내던 후배가 비행기표를 줬어. 내가 가고 싶은 곳이 어디든 갈 수 있을 거라면서. 티켓에 그려진 바코드를 찍으면 알약이 담긴 티켓박스를 받게 돼. 사용 여부는 개인의 선택에 달렸지. 티켓박스에는 시간의 세상으로 가는 알약이 담겨 있어. 처음 알약을 먹고 간 곳은 하와이였지. 해변에 누워서 미역이랑 대화를 나누는데 그렇게 재밌는 대화는 처음이었어. 미역과의 대화라니. 금세 우린 친구가 되었어. 난 그 뒤로도 한참 동안 알약을 먹었고 하와이 바다에서 미역을 만나 수영을 하고 함께 시간을 보냈지. 꿈만 같던 날들이었어.

그러다 언젠가는 이탈리아에 갔어. 시간이 미역과는 이제 끝이라는 신호를 보냈거든. '시간'이 말이야. 낯선 외국의 어느 거리를 걷다가 벤치에 앉았어. 경치가 정말 아름답더라.

그러다 사과가 내가 앉은 벤치 쪽으로 굴러왔어. 사과를 주웠는데 누군가 내 앞에 사과 바구니를 들고 서 있더라고. 사과를 건네주려고 일어났는데 내가 본 사람 중에 가장 아름다운 얼굴을 한 소년이 있었어. 소년은 고맙다며 나를 그의 집에서 열리는 파티에 초대했고, 그의 집으로 걸어가는 내내 소년은 나를 보며 '당신을 기다렸어요. 당신이 올 줄 알았어요.' 이런 말을 하더라고. 태어나서 처음 보는 사람인데 말이야. 누군가가 나를 기다리고 있었다고 말하는 걸 듣는 건 이런 기분이구나 싶었어. 마치 내가 어린 시절로 돌아간 느낌이랄까. 이름아 알약 속 세상은 말이지, 한순간만이 아니라 알약 속 세상에 있는 내내 나한테 어떤 선물 같은 감정을 느끼게 해줬단다.

아무튼, 다시 이야기로 돌아올게. 소년의 집으로 간 난 함께 파티를 준비했어. 소년은 닭장에서 써낸 알을 모아서

꾸미고 난 요리재료들을 준비했지. 손님들이 하나둘 오기 시작했고 새로운 사람들을 많이 만났어. 우린 금방 친한 친구 사이가 되었지. 소년은 나에게 고맙다면서 영화를 보여주었어. 집 안에 꾸며진 조그만 방인데 제법 멋진 영화관이었지. 하지만 영화가 어땠는지, 줄거리가 뭐였는지는 아무리 생각해도 생각이 안 나더라고. 시간의 세상 아니랄까봐. 시간 마음대로야. 지금은 느낌만 남아 있어. 바닥을 바라보며 느꼈던 신비스러운 느낌. 알 수 없는 글자들.

영화가 끝나고 소년과 작별 인사를 했어. 나가려던 참에 어떤 친구가 말을 걸었는데 그 친구와도 친해져서 오랫동안 대화를 하면서 길을 걸었어. 멋지고 괜찮은 친구였지. 다음에 꼭 다시 만나기로 하고 우린 헤어졌어. 그 이후로 한참 동안은 알약 속에 들어가지 않았어. 내가 어디에서 살고 싶은지 심각하게 고민했지. 시간의 세상이 너무 좋았거든. 그 속에서 살고 싶은 마음이 컸어. 나의 세상에 살아봤자 하고 싶은 것을 즐길 수 없었고, 그리고, 이곳에 살면서 난 그늘진 사람이 되어가고 있었거든. 괜찮았어 모든게 괜찮았는데, 그런데….”

남자는 말을 더이상 잇지 못했다. 남자의 눈시울이 붉어졌고 이름은 화들짝 놀랐다. 남자가 울고 있었다. 이름은 뭐라고 말을 해야 할지 몰랐다. “괜찮아, 울어도 돼.” 이름은 남자에게 가까이 다가가 어깨를 토닥여 주었다. 남자는 이름의 어깨에 기대어 펑펑 울었다.

캐럿은 남자와 이름을 무표정하게 바라보고 있었다. 캐럿의 상처는 점점 파고들고 있었다. '함께 가지 못할 수도 있어.' 캐럿은 크게 숨을 내쉬었다.

"이름아, 이제 내가 말할게. 나도 그 알약 속 세상을 알고 있어. 아주 잘 알고 있지. 나도 남자가 겪은 것과 똑같은 상황에 처해 있었어. 하지만 전혀 달랐어. 하와이에 가서 미역과 대화를 나눈 건 맞지만 미역과 친구가 되지는 않았어. 청구서가 날아왔거든. 미역 옆에 조개도 있었는데 둘과 나눈 대화는 그다지 재밌지 않았어. 기억나지도 않고. 시간의 세상이니까. 수영은커녕, 시간은 하루가 지나자 시간은 작별의 신호를 보냈고 두 번째 알약을 먹은 날 바로 이탈리아에 가게 되었어. 너무 아름다웠지. 꿈만 같았어. 길을 걷고 있었는데 어떤 사람이 다가와서 나이를 물었어. "몇 살?, 19살? 20살?" 이렇게. 난 사실대로 말했지. 그런데 갑자기 그 사람이 사라지는 거야. 그때부터 이상했어. 난 벤치에 앉아서 풍경을 보고 있었어. 그런데 사과가 굴러오더라고. 그래서 주워 들었지. 너무 맛있게 생긴 사과였어. 난 사과를 못 먹는데도 한입 베어 먹고 싶더라. 그런데 소년이 와서 그 사과를 주워줘서 고맙다면서 파티에 초대하더라. 맞아, 남자에게 그랬던 것처럼. 가는 길에도 역시 마찬가지였어. 나를 만난 것은 행운이라면서 고맙다 말하고, 나를 기다리고 있었다고. 집에 들어가자 소년은 요리 준비를 부탁했어. 소년은 마당에서 알을 모아서 왔지. 요리재료를 준비하고 나서 난 소년에게 말했지. 파티에 초대한 건 너인데 왜 내가 준비를 하고 있느냐고 말이야. 그러더니 소년이 미안하다면서 영화를 보여줬어. 깜깜한 방에서 깜깜한 영화가 나왔지. 시간의 탓이지, 아무런 기억이 안 나. 나와보니 사람들이 모여 있더라고 난 더이상 그곳에 있고 싶지 않았어. 문을 열고 나오려는데 문 쪽에 있던 남자가 말을 걸더라고, 참 이상하지? 첫마디가 "몇 살이야? 19살? 20살?"이었으니까. 역시 사실대로 말하니까 남자가 이상하게 변하더니 사라졌어. 정말 이상한 경험이었어. 다음 날도 알약을 먹었지. 이번엔 중국이었는데 역시 첫 질문은 몇 살이냐는 거였어. 이번엔 사실대로 말하지 않았어. 그랬더니 아무런 신호도 없는 거야. 그때부터 난 그렇게 내 나이를 물으면 훨씬 어리게 대답하곤 했지. 그렇다고 그들과의 대화가 재밌지는 않았어. 하지만 돌아갈 수도 없었어. 나의 세상? 나의 세상. 나에게 세상은 존재하지 않았으니까. 그곳에 영원히 살려고 했어. 어느 날은 '시간'을 만났어. 세상을 만든 '시간'. 우연히 어느 밤길을 걷던 중에 말이야.

시간은 '불'이 필요했어. 시간이 불을 사라지게 했거든. 불을 되돌려 놓으려고 시간의 세상을 만든 거야. 시간의 세상에 들어오는 이들이 가진 '불'의 기운을 가져가면 되돌릴 수 있을 것이라고 생각했지. 시간은 내가 불의 일부를 가지고 있다는 걸 알게 됐어. 시간은 순순히 불을 건네주길 바랐고 그러면 내가 언제나 시간의 세상에서 살게 해준다고 약속했지. 하지만 시간은 그 약속을 지키지 못했어. 난 영영 시간의 세상에 돌아갈 수 없게 되었고 지옥 같은 나의 세상으로 돌아왔지. 그러다 오두막집 할머니를 알게 되었고. 할머니께서는 많은 이야기를 하셨어. 나의 세상에서 기다리라고 말이야.

'나의 세상'은 이제 끝나가고 있어. 이름아, 나를 잊지 마, 기억해줘 꼭." 캐럿은 말을 마치고 눈을 감았고 다시 눈을 뜨는 일은 없었다. 남자와 이름은 한참을 울었다.

사람들은 과거를 잊어버리고 금세 사랑에 빠진다. 시간은 그런 면에 있어서는 언제나 제일 먼저였다. 그 틈이 조금이라도 보이면 놓치지 않고 새로운 시작의 기운을 불어 주었다. 그러면 사람들은 자연스럽게 다시 새롭게 시작할 수 있었다. 시간을 다 써버리면 기억을 잃어버린다. 하지만 불은 쉽게 잊을 수 없다. 이것이 불이 시간을 경계하는 이유다. 시간은 불보다 그 위에 있고 싶어 했지만 불이 먼저였다. 시간에 의해 익숙해지면서 다른 모습으로 변하는 것을 불은 지켜만 볼 수 없었다. 정말 새로운 시작이 필요한 것은 그 자신이었다. 시간의 변화. 시간은 아주 오랫동안 그것을 외면했다. 타오르는 불꽃은 그 무렵 사라졌다.

불은 그토록 싫어하던 새로운 하루를 맞이했다. 시간은 불을 내쫓았다. 불은 다시 돌아올 수 없었다. 완전히 사라진 것은 아니었다. '이 모든 것을 쉽게 잊어버릴 수는 없지.' 불은 시간과 함께 보냈던 기억 속에서 영감을 얻어 자신의 세상을 만들어내고 있었다. 자신을 괴롭히던 것들이 어디에서 비롯된 것인지 알아차렸다. 그러한 과정은 불을 더욱 단단하게 만들었고 동시에 외롭게 만들었다. 지금 당장 함께 할 수 있는 이들이 곁에 있기를 간절히 바랐다. 이곳은 황량한 바다의 한복판이었다.

불은 꿈을 꾸었다. 그네를 타고 있는 사람들, 단풍잎을 밟으며 뛰어다니는 사람들. 참 편안했다. 모두가 안정된 느낌, 그러다 갑자기 비상벨이 울리고 사람들은 꽉 막힌 건물에 갇혀 있었다. 바쁘게 뛰어다니면서 주어진 시간 내에 문제를 풀어야만 했다.

누군가 불을 찾아올 것이다. 분명 그 속에 있었다. 누구지? 절벽, 단풍잎. 단풍이 참 예뻤다. 붉고, 푸르고, 노르스름한 것들. 누군가 그의 바다로 들어오고 있었다. 분명 점점 가까워지고 있었다.

캐럿은 자신의 세상에서 할 수 있는 만큼 기다렸다. 그 세상은 막을 내렸고 또 다른 세상이 기다리고 있었다. 거대한 파도 소리가 이름을 눈 뜨게 했다. 불안했다. 캐럿에게 세상은 한 번이면 충분했다. 바다가 너무 아름다웠다. 동시에 허기짐을 느꼈다.

캐럿은 홀린 듯이 바다로 걸어가기 시작했다. 수영을 하려고 물에 들어갔는데 캐럿은 놀라 다시 물 밖으로 나왔다. 눈을 살짝 뜬 사이로 누군가와 눈을 마주친 것이다. 온몸에 소름이 돋았다. 분명 사람이었다. 그리고 또 다른 세상이었다. 바닷속 또 다른 세계가 있었다. 캐럿은 다시 물속으로 들어갔다. 캐럿과 불은 서로를 마주하게 되었다.

이름과 남자는 계속해서 숲길을 걸어가고 있었다. 이름은 끝없이 펼쳐지는 길에 지쳤다. 캐럿을 두고 오는 길은 더욱 무겁게 느껴졌다. 남자도 마찬가지였다. 속이 답답한 것이 편하지 않았다. 그들은 캐럿을 보내주었다. 언젠가 돌아오는 길에 다시 들러 캐럿에게 인사를 전할 것이다.

"이름아, 우린 어디로 가는 걸까?" 남자가 물었다. "캐럿이 가려고 했던 곳으로. 하지만 그곳이 어디인지 모르겠어. 오두막으로 돌아가고 싶어. 그곳엔 맛있는 음식들이 잔뜩 있을 텐데. 다시 돌아갈 수 없다는 걸 알아. 이미 시작했으니까, 돌아간다고 해도 달라질 것은 없으니까. 너희가 이야기해준 시간의 세상에서 살고 싶지 않고. 불을 되돌릴 수 있다면 캐럿도 다시 만나게 되지 않을까? 시간을 만나러 가자. 불을 되돌려 놓자. 그것이 우리가 할 일이야." 남자는 또다시 눈시울이 붉어졌다.

"난 무서워, 할 수 있을까? 이런 적은 없었는데, 내 곁에는 항상…" 이름은 남자의 얼굴을 유심히 들여다보았다. 그리곤 말했다. "난 오랫동안 이렇게 생각했어. 너 같은 사람들은 울지 않을 거라고. 그리고 나와는 다르게 강할거라고 생각했어. 그런데 그렇지만은 않구나. 괜찮아." 남자는 이름의 곁으로 와 기대었다. 이름이 하늘을 바라보며 말했다. "사람들은 널 많이 사랑하고 또 도와주잖아. 마냥 행복할 거라고 생각 했어. 미안해." 이름은 어두워지는 하늘 속 나뭇잎 사이로 비치는 햇빛을 바라보았다. 뜨겁고 따뜻한 느낌. 온 세상이 밝아지는 것 같았다. 이름은 또다시 작은 목소리로 속삭였다.

매일 이 자리에 있을 수 있다면. 언제나 새로울텐데. 좋음. 그 순간 잠들 수 있다면. 매일 바다를 볼 수 있다면. 바다. 구름을 탈 수 있다면. 바다. 구름. 바다…

"이름아, 방금 뭐라고 했어? 바다? 그래 그거야! 바다에 가면 시간을 만날 수 있을 것 같아. 처음 시간의 세상을 본 곳이 바다였으니까!"

"제가 왜 여기 있죠?" 캐럿이 불을 마주 보고 처음으로 건넨 질문이다. "글쎄, 모르겠다. 나는 왜 여기 있을까?" 둘은 정말 아무것도 알 수 없었다.

캐럿이 다시 말을 꺼냈다. "당신, 돌아가요. 모두 당신이 사라진 걸로 아는데. 그래서 찾고 있었어요! 여태 여기 있던 거예요?" 불은 캐럿을 힐끔 쳐다보고 모래 위에 털썩 주저앉았다. "잊을 건 아니지만 시간의 세상과는 영영 끝이라고 생각했는데. 시간이 나에게 한게 있는데 어떻게 돌아가니? 그쪽으로 다시는 못 가게 아예 불씨를 말렸다." 캐럿은 불의 옆으로 가 앉았다. 불은 캐럿을 뚫어지게 보았다. "넌 여기에 어떻게 온 거니?" 불의 질문에 문득 캐럿은 마지막으로 이야기를 나눴던 숲이 생각났다. "이름과 남자! 내 친구들이 당신을 찾고 있었어요. 그런데 당신은 여기에 이렇게 내 눈앞에 있네요." 불은 캐럿을 여전히 쳐다보고 있었다. "나를 찾고 있었다고? 왜지? 너희들도 시간처럼 바꿀 수 없는 것을 바꾸려고 하는구나."

불은 자리에서 일어나 어딘가로 향했다. "보여줄게 있단다." 캐럿은 불을 따라갔다. 모래 위를 걷는 느낌이 좋았다. 캐럿은 오래된 성으로 들어갔다. '바닷속 성이라니, 불의 세상은 역시 시간의 세상과는 다르구나.'

불과 캐럿은 유리알 같은 햇살이 들어오는 넓고 텅 빈 방 안으로 들어갔다. "난, 시간의 세상으로 돌아갈 수 없단다. 하지만 시간이 나의 세상으로 오게는 할 수 있지. 너도 마찬가지야. 시간의 세상으로 돌아갈 수는 없지만 이곳으로 누군가가 오게 할 수는 있어. 그들에게 신호를 보내라. 난 시간을 용서할 수는 없지만 그에게 신호를 보내 알아차리게 할 수 있단다. 알아차리고 난 후에는 그것을 아는 사람들의 선택만이 남게 되는 것이지. 어쩌면, 네가 나에게 오기를 기다렸던 것 같구나. 하지만 어떻게 여기에 올 수 있었던 것인지 도무지 알 수가 없어. 하긴, 그것은 지금은 중요하지 않구나. 어떻게 할 수 있을까, 어떻게 하면…"

불은 캐럿을 등진 채 말했다. "이곳에서는 무엇이든 가능하단다. 알고 싶은 것, 궁금한 것이 있거나 쉬고 싶을 때 이곳에 들어오렴. 내 말은 그냥, 이 방에 아무 때나 들어와도 된단다. 재밌을 거야." 캐럿은 어리둥절했다. "제가 이곳에 오랫동안 머물게 될까요?" 불이 화들짝 놀라며 뒤를 돌아봤다. "언제든지 떠나렴! 돌아오고 싶다면 다시 돌아와도 된단다. 잠시라도 보여주고 싶었다. 이곳은 이제 시간의 세상이 아니란다. 나의, 이 불의, 세상이지. 무엇이든 마음껏 해보렴." "시간을 멈추고 싶어요." 불은 눈을 감고 깊이 숨을 고른 뒤 다시 눈을 떴다.

"그다음엔 뭘 하고 싶니?" "천천히, 숨이 막힐 정도로 느리게 세상을 들여다보고 싶어요. 그 후에는 시간을 아주 빠르게 감는 거예요. 모두 여기에 있는 것이 당연하다는 듯이. 그리고 멋진 음악회를 열어 바닥에 사는 사람들을 초대할 거예요. 그 사람들이 뭘 하고 지내는지 궁금하니까요. 아, 보고 싶지 않은 사람도 있을 거예요. 볼 필요 없는 거죠. 여기선 내 마음대로니까. 예상한 대로 삶은 그랬던 거예요. 땅에서 새싹이 돋아나면 어느새 눈 깜짝할 사이 자라서 열매를 맺는 거죠. 구름 위에 누워서 하늘을 볼 수 있을 거예요. 넘어져 상처가 생길수록 내 몸은 강해질 거예요. 눈물 흘린 만큼의 호수가 생길 거예요. 그 호수에 달이 비치면 달콤한 향이 날 거예요. 이름은 이름의 모습일 거예요. 남자도 남자의 모습 그대로 일 거고. 당신은, 내가 아는 대로 언제나 그 자리에 그렇게 있을 거예요. 사람들을 따뜻하게 해주세요. 알아차린 시간은 미안한 마음을 견딜 수 없을 거예요. 돌아오길 망설이겠지만 결국 자신의 자리를 찾아 나가요. 부족한 시간이 알아차릴 수 있게 사람들은 도와주니까요. 기적처럼 변하지 않을 것 같던 것들이 변해가요.

시간이 아주 느리게 느껴질 때면 어제 일 같은 오늘의 기억을 떠올리겠죠. 빨리 감기를 해서 변해 버린 이 세상을 터질 만큼 사랑하는 이 마음과 함께요. 당신은 새로운 시작을 좋아하게 되고 시간은 잊을 수 없는 기억들이 많아질 거예요. 당신은 시간을 닮아가고 시간은 당신을 닮아가겠죠. 당신과 시간이 다른 길을 간다고 하더라도 문제없어요. 그건 당연한 거니까요. 더이상 시간은 그것을 바꾸려고 하지 않아요. 시간 없이도 살아갈 수 있음을 받아들인 거죠. 불의 세상, 그곳이에요. 여긴 당신의 세상이죠. 나의 세상. 시간이 없거나 시간이 많다는 말처럼 옛날 옛적 말을 쓰는 사람은 없을 거예요. 시간이 금이라는 말은 쓰이지 않는 고대어가 될 거예요. 사람들은 불의 세상에서 살아가니까요. 언제든지 가고 싶은 곳으로 갈 수 있고, 깜짝 놀랄만한 일들이 벌어지고, 때로는 말할 수 없는 슬픔이 밀려오는 곳."

불은 캐럿에게 다가가 한참을 안아주었다. 그리고 미소 띤 얼굴로 말을 이었다. "보렴, 이미 시작되었단다."

이름과 남자는 숲의 끝에 다 달았다. "여기로 가는 것 같은데." 이름이 남자에게 말했다. "아까 왔던 곳 같아." "여기 잠깐 쉬었다 가자."

어둑해진 밤이었다. 남자가 말을 꺼냈다. "내가 어렸을 때, 좋아하던 인형이 있었어. 항상 같이 다니던 인형이었는데 어느 날 사라졌어. 어디로 갔는지 영영 알 수가 없었어. 아직도 생각나고 마치 함께 있는 것 같아. 어릴 때 좋아하던 인형일 뿐인데. 인형하고 많은 시간을 보냈거든. 대화를 많이 나눴지.

그 인형을 많이 좋아했는데 인형은 단 한 번도 좋아한다고 말해주지 않았어. 나는 인형에게 어느 날 밤에 몰래 꿈에 나와도 된다고 말했고, 내가 안 보는 사이에 신호를 보내도 된다고 했는데… 어쩌면 정말 내가 모르는 사이에 신호를 보냈나 봐.

지금도 그 인형이 너무 보고 싶어. 너에게 기댔을 때 그 인형이 생각났어. 항상 기대어 울었거든. 이름아, 고마워. 사람들이 있을 때 운 적이 없거든. 네 앞에선 벌써 얼마나 울었는지 몰라.

나도 알아. 내 곁에 언제나 나를 사랑해주고 놀랄 만큼 정성으로 또 진심으로 도와주는 사람들이 있다는걸. 이름을 일일이 기억하지 못하지만 그 얼굴은 모두 기억나. 하지만 잊고 싶어. 이러다가는 내가 내 힘으로 할 수 있는 것이 하나도 없게 되는 것 같거든. 나 혼자서도 잘 할 수 있어. 그 모든 어려운 것들을 해낼 수 있을 것 같단 말이야, 그런데, 이제는 할 수 없어. 그게 잘 안되더라. 이미 사람들의 도움에 익숙해져 버린 거야. 평생을 이렇게 살아야 한다니. 비가 많이 오는 어느 날엔 모든 것을 끝내고 싶었어. 그날, 어느 때보다 화창했던 날 갑자기 비가 쏟아져 내리는데 그 자리에 그 아이가 서 있었어. 빨간 머리에 작고 귀여운 인형. **사실은 인형이 아니라 '사람'이었던**. 인형인 줄 알았는데. 난 아무것도 할 수 없었어. 그냥 오랫동안 서 있을 수밖에 없었지. 그 아이가 말했어. 왜, 자기 이야기를 듣지 않는지. 수없이 나한테 말을 걸었는데 난 듣지 않았다는 거야. 그리곤 같이 가자고 했어. 잃어버린 것을 다시 찾으러 같이 가자고.

그 아이가 바로 '캐럿'이야. 바보 같지. 몰랐던 거야. 정말, 아무것도 몰랐던 거야. 그 아이는 이제 사라져 버렸어. 캐럿과 나는 언제나 함께였는데, 이젠 혼자만 남은 거야. 시간에게 꼭 캐럿을 다시 만나게 해달라고 할 거야. 시간을 꼭 만나야 해. 이름아, 네가 만약 돌아가고 싶어 해도 난 계속 가야 해."

이름은 남자의 말을 묵묵히 듣고 있었다. 남자가 다시 말을 꺼냈다. "사랑해, 이름아." 이름은 깜짝 놀라 고개를 들어 남자의 얼굴을 보았다. "하지만 네가 가지 않으면 좋겠어. 어디에 있는지도 모르는 시간을 찾느라 너무 힘이 들어. 만일 시간을 찾지 못한다고 하더라도 계속 같이 있을 수 있으면 좋겠어." 이름은 가만히 바닥을 내려다보았다. 가득히 불러 있는 자신의 배를 쳐다보았다. 통통하게 살찐 손가락을 들여다보았다. 들어 올리기 힘든 무거운 다리를 내려다보았다. 가쁘게 숨을 쉬고 있는 덩치 큰 자신을 다시 한번 바라보았다. 누군가에게 사랑한다는 말을 들으면 어떨까 하는 상상을 몇 번쯤 했던가. 심장이 덜컥 내려앉은 기분이었다. '아니, 아니야. 내가 원했던 건 이게 아니었어.' 이름은 남자의 말을 믿을 수가 없었다. 무엇이 진실이고 무엇이 그렇지 않은 것인지 알 수 없었다. 있는 그대로 받아들일 수 없었다. 그건 불가능했기 때문이다. 그렇게, 생각했기 때문이다.

"나도 널 사랑해." 이름이 말했다. 남자는 놀란 눈으로 이름을 쳐다보았다. "널 알게 된게 오래된 건 아니지만, 그건 중요하지 않은 것 같아. 당연히 나도 널 사랑하지. 나도, 사랑한다고." 이름은 순간 간절하게 돌아가고 싶었다. 아니, 돌아가고 싶지 않았다. 그저 더이상 남자와 함께 있고 싶지 않았다. 하지만 그것을 알아차리진 못했다.

"우리, 이제 다시 가자. 어쩌면 이번엔 바다를 찾을지 몰라." 이름이 말했다. 이름과 남자는 다시 길을 걷기 시작했다. 한참을 걷다 보니 진흙이었던 바닥이 모래로 변했다. "와, 정말 바다야." 그때 누군가 모래사장 위에 앉아 이들을 향해 소리쳤다.

"얘들아, 기다리고 있었어, 얼른 와!" 남자는 한눈에 알아볼 수 있었다. 그는 '시간'이었다.

　　　"여기가 어디야?" 이름이 남자에게 물었다. 시간이 대답했다. "아, 모르는구나. 여긴 시간의 세상이지. 모든 것이 완벽에 가까운 곳이 어디에 있냐고 물으면 바로 이곳에 있다고 말할 수 있겠다. 이곳에서는 마음껏 여행할 수 있단다. 다양한 사람들을 만나고 이야기할 수 있고, 심지어 미역과도 대화할 수 있지. 모두에게 공평하게 주어진 시간 속에서 너희는 무엇이든 할 수 있어. 그 공평하게 주어진 시간을, 어떻게 활용하느냐에 따라 이곳에서의 각자 행복의 크기는 달라지겠지? 어떻게 시간을 보내느냐, 그것이 이곳의 관건이란다." 이름은 캐럿이 말했던 시간의 세상에 대한 이야기가 떠올랐다.

"정말 누구에게나 공평한 것이 맞나요?" 시간은 이름의 질문에 멈칫하는 듯싶더니 말을 이었다. "당연하지. 시간이 공평하지 않다면 과연 무엇이 공평할 수 있겠니? 사람들에게는 똑같이 하루 24시간이 주어진단다. 시간은 변하지 않고 언제나 그 자리에 있고 사람들은 시간이 흐를수록 변화하지. 시간이 언제까지 함께 할 수는 없단다. 받아들이지 못하는 사람들도 있지만 이러한 변화만큼 자연스러운 것이 없단다. 그것이 두려운 것이니?"

이름은 대답했다. "전혀요. 두려운 것은 당신인 것처럼 보이는데요." 시간은 웃으며 말했다. "나에게 두려운 것은 없단다. 사람들은 모두 시간을 두려워하지만 덕분에 언제나 변하고 새로 시작할 수 있잖니. 두려워하는 동시에 감사해하지. 넌 아직 시간이 필요한 것 같구나." 인상이 찌푸려진 이름이 물었다. "그게 무슨 말이죠?" 시간은 아무 말이 없었다. 시간은 앞으로 계속 걸어가기만 했다.

"무슨 말이냐고요!" 시간은 뒤도 돌아보지 않았다. "저기요!" 시간은 그렇게 이름과 남자에게서 멀어져 갔다. 이름이 아무리 물어도 시간이 대답을 하지 않은 그 순간, 이름은 자신의 세상에서 무엇을 할지 깨달았다.

이름은 남자에게 말했다. "우리는 시간에게 대접받아야 해." 남자는 어렵게 만난 시간을 놓친 것이 아쉬웠다. "시간과 더 대화할 수 있었는데 금방 가 버렸네. 시간에게 대접받아야 한다니, 그게 무슨 말이야?" "말 그대로. 시간에게 대접을 못 받으면 존중을 못 받고 존중을 못 받으면 불도 되돌릴 수 없을 거야. 달라져야 해."

이름은 긴 양말을 벗었다. 종아리까지 감싸는 검정색과 흰색의 줄무늬 양말이었다. 걸치고 있던 청색 외투도 내려 놓았다. 외투에는 주머니가 많았다. 양팔의 주머니에는 호루라기와 후추, 소금 같은 것이 있었고 가슴 쪽 주머니에는 종이 꾸러미가 불룩하게 나와 있었다. 손을 넣는 주머니에는 견과류, 과일, 초콜릿바가 들어 있었다. 주머니에 든 것을 모두 꺼낸 뒤 이름은 그에게 맞지 않는 보다 큰 사이즈의 펑퍼짐한 하늘색 원피스를 들어 올렸다. 그리곤 청색 외투 위에 하늘색 원피스, 그 위에 양말을 가지런히 개었다.

그동안 남자는 지나간 시간을 찾느라 이름을 미처 보지 못했다. 마지막에 옷들을 정리하는 순간에야 남자는 이름이 무엇을 하고 있는지 알아차렸다. "뭐, 뭐 하는 거야?" "너무 더워서." "덥다고? 춥지 않아?" "응, 하나도 안 춥고 오히려 몸에서 열이 펄펄 나. 너도 덥지 않니?" 생각해 보니 이름의 말대로 정말 추위가 느껴지지 않았다. 오히려 더웠다. 남자는 한참을 고민한 후 답했다. "응. 나도 더워." 남자도 걸치고 있던 옷을 모두 벗어 놓았다. 남자의 주머니에서도 이름과 비슷한 간식들, 종이들, 그리고 꽃잎들이 잔뜩 나왔다. 참 이상한 일이었다.

그렇게 걸치고 있던 것을 내려놓고 모래 위를 한참을 걸었을 때, 이름과 남자는 뜨거운 태양 아래 빨갛게 달궈지고 있었다. 잠시 쉬어가야 했다. 바닷물 속으로 달려갔다.

"넌 왜 이름이 남자야?" 이름이 물 위에 둥둥 떠 있는 남자에게 물었다. "글쎄, 언제부터인가 그렇게 불리게 되었어." "남자는 원래 어떤 성별을 가리키는 명칭이었대. '남자, 여자' 이런 단어들은 말이야. 역사 깊은 이름이야."라고 말하는 남자의 얼굴이 빨개졌다.

이름이 물었다. "남자라는 이름이 아니면 어떻게 불리고 싶어?" "글쎄, 너처럼 '이름'이라고 불리면 좋겠는데. 그럼 우리 둘이 있을 때마다 헷갈리겠지? 하지만 '이름'이라는 말이 좋아. 아님 '당근'은 어때? 캐럿을 다시 만나게 되었을 때 내 이름은 당근이라고 말해주면 왠지 몰라도 캐럿이 재밌어 할 것 같아." 이름과 남자는 웃음을 터뜨렸다.

이들의 웃음소리가 조용히 사그라지고 바다의 정적만이 남았을 때 이름이 말했다. "고마워." 남자가 말했다. "나도 고마워, 이제 어디를 떠나든 괜찮을 것 같아. 혼자서도 잘 할 수 있을 것 같아."

"그래, 넌 처음부터 그렇게 할 수 있었어. 언제나 너를 사랑해." "영원히. 나도 널 사랑해." "안녕." 남자와 이름은 그렇게 물의 흐름을 따라 둥둥 떠내려갔다. 어디로 가는지, 서로 다시 만날 수 있는지도 알 수 없었지만 괜찮았다. 아직 남은 슬픔이 더 오랫동안 남아 있을 수 있도록 이름은 오랫동안 눈을 감았다.

밤이 아주 깊었을 무렵, 이름은 어딘가에 멈춰 있었다. 저 멀리 누군가 나무 아래 앉아, 누워있는 이름을 쳐다보고 있었다.

고개를 들어 누군가 아는 사람인지 알고 싶었지만 어두워서 알 수 없었다. '아는 사람 일리가 없지.' 이름은 그 자리에 한참을 누워있다가 일어나서 나무 아래에 있는 사람 쪽으로 걸어갔다. 이름이 다가오는 것을 아는지 모르는지 멍하니 허공을 바라보고 있었다. 그 사람은 오두막의 할머니와 어딘가 닮았다. 하지만 그보다 거칠지 않고 차분하고 친근한 느낌이 들었다.

나무 근처에 앉은 이름의 시선은 바다에 있었다. 파도 소리가 잔잔하게 들리고 밤하늘엔 별이 쏟아지듯이 빛나고 있었다. 고개를 젖혀 하늘을 바라보던 중에 어디선가에서는 소란스러운 웃음소리가 들렸다. 한 무리의 사람들은 바다에 가까워지고 있었다.

다시 바다로 시선을 향한 이름에게 나무 아래 앉아 있는 낯선 이가 물었다. "어디서 온 거요?" 이름은 뭐라고 대답해야 할지 망설여졌다. '숲이라고 할까? 아님… 오두막?' "오두막이요."

"오두막? 그게 어딘지 모르겠지만, 오랫동안 누워있던데 머리가 아프지는 않소?" "조금씩 나아지고 있어요." "난 여기에서 먹고 자고 울기도 하고 웃기도 하고. 그렇게 살고 있소. 그나저나 당신은 얼마나 오래 모래 위에 누워있던 건지 아시오?" 이름은 무슨 말인지 모르겠다는 표정이었다. "잘 모르지만 3일 하고도 2시간은 더 지났을 거야. 오랫동안 모래 위에 누워있기만 해서 무슨 일인가 싶었는데 숨도 쉬고 무슨 말을 중얼거리더라고. 무슨 일이 있소?" 할머니가 왠지 능청스러운 표정으로 물으셨다. 3일 동안 누워있었다니. 그것도 그냥 바닷가 모래 위에. 믿을 수 없었다. 더 믿을 수 없는 것은 바다 위에 누워있는 자신에게 아무도 도움을 주지 않았다는 것. 살아있는 걸 알았다면 깨워서 어딘가 안전한 곳으로 옮겨줘야 하는게 아닌가. "먼 곳에서 오느라 피곤했나봐요. 그렇게 오래 누워있었는지는 몰랐어요. 그런데 어떻게…"

"어떻게 아무도 자네를 도와주지 않았냐는 거지? 아무래도 이곳에 온 것이 처음인가 보오." 이름은 주위를 두리번거렸다. 바다는 파도가 밀려오고 해는 지고 있었다. 어둡고 푸른 빛으로 하늘이 물들고 사람들의 웃음소리가 들렸다. 분명 같은 해변인데, 이상하게 바람이 조금 다르게 느껴졌다. "여긴 불의 세상이오. 시간을 이해하는 걸 보니 당신은 시간의 세상에서 온 것 같소만. 처음엔 다들 그렇소. 겉으로 보기엔 시간의 세상과 크게 다르게 없으니까, 하지만 곧 완전히 다르다는 것을 알게 될 거요. 이곳에서 무엇이 가능한지 알게 된다면 말이야. 어디로든 가봐요. 어떤 비밀이 숨겨져 있는지 찾다 보면 알게 될 거야. 그게 무엇이든 자네에게 얼마나 좋은 것일지. 내가 다 설레는군." 할머니는 자리에서 일어나 바다로 걸어 들어갔다. 점점 멀어졌지만 하나도 이상하지 않았다. 아무도 말리지 않았다. 이름은 혼란스러움에 자리에 주저앉았다.

　　"시간이 해결해 줄 거야." 누군가에게 위로받고 있
었다. 그놈의 시간. 아무리 많은 시간이 지나도 변하는 것
은 없었다. 오히려 더 나빠지기만 했다. 수억의 시간이 지
난 후엔 결국 아무것도 남지 않을 것이다. 그것이 시간이
해결하는 방식이니까. 떠나보내고 싶지 않았다. 하지만 그
걸 알아차리지 못했다. 아무리 소리쳐도 듣지 못했다. 이
름의 목소리가 너무 작아서 들을 수 없었다. 아무리 두드
려도 열리지 않았다. 굳게 닫힌 문과 투명한 유리창이 이
름을 아프게 했다. 반짝거리는 햇살이 비출 때마다 고통스
러웠다. 제발 이곳을 나가게 해주세요. 자유롭고 싶어요.
하지만 이미 늦었다. 머나먼 여행을 떠난 것이다. "넌 나
의 즐거움이야." "넌 나의 구원이야." "넌 그 무엇보다 아
름다워." 그들이 즐거워할수록 이름은 아무 말도 할 수 없
었다. 조금이라도 솔직한 대화를 하려고 하면 그들은 외면
하거나 떠나갔다. 대신 그들이 즐거워하는 모습을 보며 자
신도 행복하다고 생각했다. 그 생각도 점점 무뎌지고 이름
은 지쳐갔다. 더 이상 도울 수 있는 힘이 없었다. 사람들

은 알아차리지 못했다. 알아차린 사람들은 또 다른 이름을 찾았다. 하지만, 하지만… 그토록 많은 이들이 하늘에 의해, 바람에 의해, 별에 의해 떠나갔다. 되돌릴 수 없었다. 이름만이 그 자리에, 유리창에 갇혀 언젠간 나비가 찾아오기를, 언젠간 유리창이 부서지기를, 언젠간 영원할 것 같았던 처음으로 돌아오기를 바랐다.

시간이 떠난 자리에 불이 생겨났다. 불은 불의 방식대로 세상을 만들어 갔다. 그곳엔 캐럿이 기다리고 있었다. 불은 처음부터 다시 시작했다. 하루하루가 처음인 듯했다. 소중하지 않은 것이 없었고 오랫동안 지속되지 않을 것이 없었다. 불가능할 것 같던 영원은 아주 작은 변화에 의해 가능해졌다. 캐럿은 이름과 남자를 초대했다. 불은 시간을 초대했다. 이름은 언제나 처음과 같은 불의 세상이 좋았다. 변화는 계속되었다. 그들은 그렇게 새로운 터전에서 새롭게 시작했다.

죽음을 두려워하지 않는 당신께

왜 이제야 아셨나요. 조금 더 일찍 알았더라면 좋았을 텐데. 당신이 돌아올 것이라는 걸 알았다면 지금과는 달라졌을까요. 하지만 알아요. 당신이 돌아오기까지 아주 오랜 시간이 걸렸을 거라는 걸. 그렇다면 그때의 나는 사라진 뒤겠죠. 시간은 그런 방식이니까요. 마지막으로 당신을 볼 수 없었을 거예요. 당신의 즐거움이어서, 당신의 구원이라서 행복했다고 말하고 싶지만 실은 그렇지 않은 날이 더 많았어요. 가진 것을 모두 주고 싶지 않았어요. 당신이 내민 손을 가득 채워주기가 버거웠어요. 정말 당신은 죽음이 두렵지 않은가 봐요. 다시 돌아왔다는 이야기가 들리는 걸 보면. 내가 아닌 이름을 찾고 있었나요. 시간은 기다려 주지 않아요. 제발 잊지 말아요. 두려운게 아니라면 받기만 해서는 안돼요. 여길 봐요. 매일 처음과 같은 곳, 불의 세상이에요. 사랑하는 사람들이 그립다면, 따갑게 느껴지던 햇살이 따뜻한 기억이 되었다면. 이제 그만 눈물을 멈추고 일어서봐요. 당신은 정말 죽음이 두렵지 않아요? 제대로 숨을 쉴 수 있을까요? 시끌벅적한 도시를 다시 볼 수 있을까요? 무거운 다리를 이끌고라도 뛸 수 있을까요? 제대로 이야기라도 나눌 수 있을까. 거짓된 세상에 눈을 떠요. 지금 하고있는 것을 멈추고 당신을 봐요. 포기하지 말아요. 다른 이름을 찾지 말고 나를 봐요. 나의 이름을 기억해요. 나의 이름을 불러줘요. 나의 이름을.

3장

한참을 가만히 앉아 있던 이름은 뭔가에 홀린듯 자리에서 일어나 걷기 시작했다. 아주 빠르지도 느리지도 않은 속도로. 바람이 부는 것을 알아차리지 못했지만 시원한 기분이 들었고 해가 쨍하게 내리쬔다는 것을 알지 못했지만 몸이 점점 뜨거워지고 있다는 것을 알았다. 아무것도, 아무것도. 이름은 길을 따라 쭉 피어난 꽃들을 바라보았다. 꽃들보다는 풀들을 보았다. 마구 섞여 있었지만 모두 같은 모양이었다. 꼭 뽑아야 할 것만 같은 기분이 들었다. 어디에서 이런 풀들이 날아왔을까 하는 생각이 들었다. 분명히 끝이라고 생각했는데 끝이 아니었다. 이름은 누군가 계속해서 말을 거는 것이 느껴졌다. 주위를 둘러봤지만 아무도 없었다. 하지만 분명 의문을 던지고 있었고 이름은 답하고 있었다. 이름은 작은 참새를 바라보았다. 참새가 날아가는 것이 신기했다. 끊임없이 무언가를 찾아 두리번거리는 것을 가만히 바라보고 있었다. 여전히 목소리가 들려왔다. '참새를 볼 때도 생각했어요. 어떤 사람도 그런 생각을 했다고 하던데, 누군지 모르지만 아마 새를 좋아하던 사람일 거예요. 갑자기 드라마 줄거리가 떠오르네요! 갈대가 이렇게 많은데 누가 낚시를 하지는 않을까요? 누가 숨어 있을지도 몰라요. 정말 이상해요. 매일 보던 갈대가 문득 이상한 분위기를 풍기는 게. 내가 살던 곳은 이런 갈대들을 모아놓은 곳이었어요. 나는 아무것도 한 것이 없는데 이런 풀들을 매일 보고 살았어요. 참 감사한 일이죠. 아니, 그건 아니에요. 꼭 그런 것만은 아니에요. 오랫동안 이곳을 싫어했어요. 지금은 싫어하지 않을 뿐이에요…' 이름은 생각이 힘이 들었다. 편하게 이야기하고 싶었는데 걸으면 걸을수록 들려오는 목소리에 마음이 더욱 복잡해졌다. '난 어지러진 방이 좋아요. 정리하기 싫어서 그랬던가? 글쎄, 잘 모르겠네.' 이름은 눈을 질끈 감고 소리쳤다. "그만!" 심장이 두근거렸다. '심장이 두근두근 뛰어요. 괜찮아요? 병원이라도 가야 할 것 같은데, 나 지금 좀 이상한 것 같아요.' 이름은 뛰기 시작했다. 점점 숨이 찰수록 목소리가 사라지는 것 같았다. '이제 숨이 막혀서 죽을지도 몰라요. 숨을 제대로 쉬어봐요. 아님 멈추던가!' 이름은 제자리에 멈춰 한참을 숨을 고르고 나니 그제야 목소리가 들리지 않았다.

이름은 주위를 둘러보았다. 해가 질 무렵이었다. 파도 소리가 들렸다. 바다에 더 가까이 가고 싶었다. 이름은 멈추지 않고 계속해서 걸었다. 걷고, 또 걸었다. 목소리가 들리지 않을 때까지. '지금 뭐해요? 설마 물에 빠지려는 거에요? 큰일 나겠네! 죽겠다고 생각한 적 없잖아요! 죽지 않을 거라고 다짐했으면서, 스스로 죽이는 사람을 이해할 수 없다고 했으면서, 이게 뭐 하는거…!' 이름은 목소리가 정말 듣기 싫었다. 위험에 발버둥 치던 목소리는 사라졌다.

"이게 너의 방식이니? 네가 원했던 거야?" 이름이 눈을 떴다. 익숙한 얼굴이었다. 그 이름은 '시간'이었다.

"어떻게 해서 이곳에 오게 된 건지 알아? 넌 이제 나랑 이야기 좀 나눠야겠다. 진솔한 '시간'을 내어주지." 이름은 자신이 병원에 누워있다는 것을 알았다. '진솔한' 시간은 도대체 무엇일까.

"내가 그렇게 싫니?" 당연한 것을 묻는다. "네." 시간을 무섭게 바라본다. "나 없이는 살 수 없다는 걸 알잖니. 너도 마찬가지로."

"그래서 싫어요. 당신 없이도 살 수 있기를 바라요." "그게 과연 가능할까?" "가능하죠. 알고 있잖아요. 당신도." "그게 어떤 방법인지 말해 줄 수 있겠니? 가능하다면 예를 들어 구체적으로 말이야." 인상을 찌푸리는 시간의 얼굴을 본 이름은 웃음을 띠고 말을 이었다. "불을 없앤 건 당신이에요. 불이 있다면 당신이 없어도 된다는 걸 누구보다 잘 알잖아요. 내가 알기론 당신도 후회하고 있고, 불을 찾고 있다고 하던데요." 시간은 한숨을 내쉬었다. 계속해서 이름이 말했다. "방법을 찾아요. 당신이 잘못한 걸 받아들이기만 하면 돼요. 어려운 일이라는 것 알아요. 그래서 내가 이렇게 말하잖아요. 지금까지 한 번도 잘못한 적 없던 시간이 이번에 단 한 번 정말 중요한, 되돌릴 수 없는 실수를 저질렀다, 뭐 그게 어때서요. 그럴 수도 있지. 불을 다시 돌려놓으면 되는 거예요. 되돌릴 수 없다면 그냥, 어쩔 수 없는 거죠. 당신을 보면 정말 답답해서 미치겠어요. 틀릴 수도 있다고요, 시간도 틀릴 수 있다고 말해요, 그게 뭐라고, 시간을 어떻게 되돌릴지 왜 몰라요? 당신이 사라지게 한 거잖아요. 어떻게 해야 할지 알잖아요. 알면서 외면하는건 당신이에요. 방법이야 당신이 알고 있겠죠. 난 그냥 당신에게 이 말을 하기 위해서 함께 '시간'을 보내고 있는 것뿐이고." 시간의 얼굴이 울그락 불그락 거렸다. "시간, 시간, 시간 …" 시간이 눈물을 흘렸다. 시간의 눈물이다. 이름은 숨을 들이쉬었다. "눈을 감아봐요. 당신 알고 있죠, 보석이 어디에서 왔는지. 불을 되돌린다고 해도 당신이 사라질 일은 없을 거예요. 불도 중요하고 당신도 똑같이 중요해요. 사라지지 않을 거예요. 가끔 불이 당신보다 더 중요한 것처럼 보이더라도 알고 있어요, 당신이 곁에 있다는 걸. 다들 모르는 것 같지만 알고 있다고요. 왜냐하면 사람들은 모두 불 속에서 태어날 때 시간과 함께였으니까. 오래된 농담이 되더라도 당신을 영영 잊을 일은 없을 거예요. 당신은 알고 있어요. 꼭 말하지 않아도 소중히 여기고 있다는 것을, 사람들의 입에 오르내리지 않는다고 슬퍼하지 말아요. 우리는 조금 나아갈 뿐이에요. 아주 많은 '시간'이 걸린 거죠. 아직 불을 지펴야 할 곳이 많아요. 당신의 도움이 필요해요. 지금까지 쉼 없이 달려온 당신에게 쉼을 선물해주고 싶을 뿐이에요. 언제나 말하듯 '시간이 해결해 줄 거예요.' 그것도 안 통한다면 그땐 불을 찾아오세요. 아셨죠?" 이름은 시간에게 다가가 따뜻하게 눈을 맞추었다. 시간은 울음을 멈추지 않았다. "위로가 되지 않는거죠? 그럼 언제든지 나를 찾아와요. 어디 있을지는 당신이 잘 알 테니까, 당신을 위한 공간을 남겨둘게요."

이름은 이제 비스듬히 누워 물끄러미 시간을 바라보았다. 팔다리가 길고 얇았다. 그동안 쉼 없이 달려왔다는 것을 보여주는 것 같았다. '구르는 돌에는 이끼가 끼지 않는다.' 살이 붙을 틈 없이 바삐 움직였다. 항상 깨끗한 정장과 함께였던 모자가 오늘은 없었다. '괜찮아, 괜찮을 거야.' 뭔가가 다르고 이상했다. 이름의 목소리가 다시 들리지만 정말 괜찮았다. '맞아, 난 괜찮아.' 시간은 긴 다리로 자리에서 일어나 이름을 바라보았다. "네가 한 말 잊지 않을 거야. 꼭 나를 위한 공간을 남겨줘." 이름은 시간을 보며 웃었다. "알았어요. 이제 얼른 가보세요."

    이름은 제자리로 돌아왔다. 노을 지는 바닷가가 아니라 바람이 세차게 불고 천둥 번개가 치는 들판의 한복판으로. 목소리가 들렸다. '두려워, 불이 돌아오지 않았을까봐. 여전히 시간의 세상이면 어쩌지? 그럴 일은 없을 거야. 봐 봐, 지금 여기에 서 있잖아. 처음 보는 것 같지만 예전에 온 적이 있어. 뭘 해야 할까? 오두막을 찾아 걸어가면 그곳에서 남자와 캐럿을 만나게 될까? 그래 캐럿이 보고 싶었어. 캐럿은 여기에 있을 거야.' 이름은 오두막을 찾아 세차게 내리는 빗속을 걸어갔다. 저 멀리 그때처럼 불빛이 보였다. 이름은 오두막으로 뛰어 들어갔다. 그곳에는 인자한 미소를 짓고 있는 할머니가 계셨다. 오두막 할머니. 멍했던 시선이 명확히 벽난로를 향하고 있었다. "할머니, 저 왔어요." 할머니께서 스르르 고개를 돌려 이름을 향해 미소를 짓는다. 눈이 빨갛게 충혈되지도, 일본어를 중얼거리지도 않으신다. 꼭 다른 사람 같았다. "비를 맞았구나. 춥겠다. 저기 수건이 있으니 가져가 덮으려무나." 할머니께서 그 방을 가리키셨다. 이름은 떨리는 마음으로 방에 다가갔다. 이름은 동그란 손잡이를 당겼다. 문이 열렸고 방 안에는 남자가 있었다. 예전부터 알고 있었다는 듯 미소를 지었다. 그 옆에는 수건을 덮고 있는 캐럿이 있었다. 캐럿, 그 캐럿이 있었다. 이름은 아이들의 옆에 앉았다. 정적이 흘렀다. 갑자기 남자는 웃음을 터뜨렸다. "이름아!"

이름은 잔인하게도 몸과 정신이 건강하게 태어났다. 그것이 잔인했던 것은 '부도덕'이라고 불렸기 때문이다. 이름은 자신의 건강함을 알아차리지 못했고 언젠가부터 부정하게 되었다. 스스로 병들어 가고 있다고 느꼈을 때 이름은 불을 만났다. 불은 아주 많은 질문을 한꺼번에 했다. 이름은 그 많은 질문을 대답하는게 처음에는 힘들었지만 시간이 지날수록 이야기하는 것 자체가 재밌어졌다. 이름도 불에게 최대한 많은 질문을 던졌다. "아무것도 잊지 않고 살아간다는 것이 생각보다 괴롭고, 고통스러운 일이 아닌 것 같아요. 당신은 어때요?" "글쎄, 모든 것을 기억하면서 살아간다는 것은 어디에서든 이야기가 시작될 수 있다는 것과 같아. 멍하니 길을 걸을 때도 이야기들이 피어나는 것이 나에게는 좋단다. 이름아, 너도 언젠가 알게 되는 날이 올 거 란다." 이름은 한 번도 자신이 불을 닮을 수 있을 것이라고 생각해 본 적이 없었다. 불은 이름에게 직접 말해주지 않았다. 이름은 불을 닮았다. 언젠가 그 둘은 하나가 될 것이다.

집에 가고 싶었다. 그런 것이 있다. 시간은 평범했던 것을 특별하게 만들어준다. 그 속을 들여다보면 뜨거워서 차마 들여다볼 수 없는 불꽃이 매섭게 불타고 있다. 이름은 자신이 아는 것만으로도 행복하고 활기차게 살고 있었다. 낯선 것이 많았다. 아는 것이 별로 없다는 것을 알았다. 사람들이 어떻게 생각하는지 이제는 궁금하지 않았다. 자신을 둘러싼 모든 것이 처음 보는 것 같았다. 집으로 돌아가면 익숙한 것들을 다시 마주하고 편안히 잠들 수 있을 것이다. 어쩌면 틀린 것일 수도, 부서진 건물 위에 서 있는 것일 수도 있다. 지구는 차분히 이름을 감쌌다. 그 동그란 지구가 어쩌면 사람의 모습으로 뚜벅뚜벅 걸어와 이름의 곁을 지켜주었다. 이름이 사랑하는 것은 지구. 지구를 위해서 불을 되돌려야 했다. 시간이 아무것도 하지 않는다면 결국은 사라질 운명이었다. 영원히 지구를 사랑한다, 그것 이외에 어느 것에도 영원한 사랑을 약속할 수 없다.

남자는 이름을 찾아왔다. 이름이 안부를 묻는다. "잘 지냈어?" 남자는 바닥을 보고 이름의 눈을 마주치지 않는다. "응, 잘 지냈어. 넌 그대로구나." 남자와 이름은 한동안 강가를 걸었다.

남자가 말한다. "사랑을 찾았어. 영원히 사랑할 수 있을 것 같은 느낌이 들었어. 너한테 말해주고 싶어서." "그랬구나. 그게 누군지 궁금하다." "시와 에세이야." 이름은 걸음을 멈추고 남자를 바라본다. 남자는 여전히 바닥을 바라본다. "나도 너처럼." 이제야 남자는 이름의 눈을 마주친다.

"좋네." 남자와 이름은 강의 끝에서 멈춰 섰다. "나, 조금만 있다가 갈게. 너 먼저가." 남자가 말했다. "그래. 먼저

갈게. 안녕." 이름은 천천히 발걸음을 옮겼다. 남자의 시야에서 멀어졌을 때 이름은 달리기 시작했다. 달려야 했다. 숨이 차올랐다. '이제 그만.' 웃음이 터져 나왔다. '그래. 저 강 좀 봐. 정말 아름답게 빛난다. 해 지는 것도 봐. 그래, 이제 집으로 돌아가자. 아무도 모르는 곳으로.' 집으로 가까워지는 동안 매캐한 공기가 이름을 숨 막히게 했다. 바닥에 쌓인 쓰레기 더미가 이름을 공허하게 했다. 마음이 굳어져 갔다. '사랑이라니. 어떻게 사랑할 수 있겠어.' 이름은 집으로 돌아왔다. '시간은 아직인가 보다.' 변한 것은 없었다. 그냥 멍하니 앉아 캄캄한 방 사이를 비추는 불빛을 바라보았다. 가까운 행복이 그곳에 있었다. 여전히 시간이 흐르고 있었다. 시간이 뒤죽박죽인 적은 없었다. 제발 단 한 번이라도 혼란스러운 시간의 모습을 보고 싶다. 시간을 마음대로 쥐락펴락 할 수 있다면 하고 바랐다. 보고 싶었다. 시간이 편안하게 웃고 있는 모습을. 언제나 쓸쓸해 보였다. 그 외로움을 잊기 위해 바쁘게 움직이고 새로운 시작의 틈이 보이면 가장 먼저 힘을 불어넣어 주었다. 시간이었다. 쉬지도 않고 움직이는 시간에게 멈춰서 그 자리에 머물러도 된다는 걸 알려주고 싶었다. 이젠 불에게 맡겨도 된다고 말해주고 싶었다. 불도 언젠가 꺼질 것이다. 그 뒤엔 바람이 있을 것이고 별이 있을 것이다. 그래서 괜찮다. 불은 시간이 자신을 찾고 있다는 것을 몰랐다. 시간은 불을 쉽게 찾을 수 없었다. 불과 시간은 서로 다른 세상에 서 있었다.

누군가 오두막집 문을 두드렸다. 바다에서 만난 할머니였다. 할머니는 이름을 보고 놀란 표정이었다. 이름도 놀라기는 마찬가지였다. "발길이 닿는 대로 걷다 보니 오두막이 보여서 잠시 쉬어갈까 하고 문을 두드렸소. 당신이 여기에 사는 줄은 몰랐구먼." 이름은 멈칫거리면서 문을 열어주었다. "들어오세요. 밖이 추운데." 이름은 벽난로 쪽에 있는 담요를 건넸다. "여기, 추운데 덮으세요." "설레는 일을 찾아보라고 했는데 아직인가 보군. 우리가 이렇게 다시 만난 것을 보면 뭔가 있는 것 같은데, 설마 당신과 나 사이의 무언가 있는 것은 아니겠지. 흠…" 여자는 이름을 이곳저곳 살펴보았다. 이름은 누군가 자신을 뚫어지게 보는 것이 싫었다. "아, 오해마시오. 내가 아는 누군가랑 닮아서, 혼란스러워 그렇소." 나중에 이름은 여자가 단지 처음 보는 사람을 뚫어지게 살펴보는 습관이 있다는 것을 알게 되었다. "시간을 만나본 적 있소?" 여자가 물었다. "네. 시간 본 적 있으세요?" 이름은 두근거리는 마음으로 물었다. "그렇지. 아주 오래전에. 시간과 불이 함께였을 때 본 적이 있지. 불이 다시 나타난 후엔 본 적이 없다네. 당신은 불을 본 적이 있는가?" 이름은 시간과 불이 함께였을 때를 상상할 수 없었다. "아뇨 아직. 시간과 불이 함께 있을 수 있었나요? 어떻게요?" 여자는 얼굴에 의미심장한 웃음을 띄웠다. "그게 궁금하다는 말이야? 나에게 뭘 알려줄 수 있지?" 이름은 당황스러웠다. 여자는 한쪽 눈썹을 움직이면서 만족스럽다는 듯 말을 이었다. "날 보면 어떤 생각이 드나?" "글쎄요. 잘 모르겠어요. 특별한 생각은 안 드는데요." "내 몸이 어떻게 보이지?" "저와 비슷해 보여요." 그는 흥미롭다는 듯 웃으며 말했다. "눈에 보이지 않는 건?" 이름은 왠지 웃음이 나왔다. "그냥, 참 재밌어 보이는데요. 웃기는 일이 많았나 봐요. 나와는 다르게 보이고. 그러네요. 왠지 강해 보여요. 뭐가 당신을 강하게 만드는 건지 궁금하고. 당신의 주름은 자세히 보니 참 거칠어 보여요. 왜 그렇죠? 부드러우면서도 거칠어 보이고 웃고 있는 표정 속에서 강함이 느껴져요. 됐어요?" 이름은 이게 시간, 불의 이야기와 어떤 상관이 있는지 알 수 없었다. 그저 여자가 듣고 싶어하는 말을 했다. "당신은 나처럼 늙지 않을 것이라고 생각하나? 당신도 얼마 후면 이렇게 주름살이 패이고 느리게 행동하게 될 텐데 말이야." 이름은 살짝 인상을 찌푸렸다.

"그럼에도 불구하고 내가 이 순간을 선택한 것이라면 믿을 텐가? 그렇지 않다면 앞으로 내가 해줄 이야기를 믿기 어려울 거야. 정 그러면 시작하지 않는 편이 좋겠지만, 우리 둘 다 모두 그걸 원하진 않을 것 같군." 이름은 고개를 끄덕이며 말했다. "네. 믿을 테니 이야기해주세요."

바닷가에서 만난 사람의 이야기

사람들은 모두 시간과 불의 자식이란다. 알고 있니? 왜 나는 제대로 알지 못하고 살아왔을까? 마땅한 것으로 여기고 살아간 것이 한순간에 무너져 내리는 것을 보며 생각했단다. 시간은 알지 못했단다. 무지가 바로 그 원인이지. 아주 사소한 다툼이었는데 자신의 생각을 어떻게 전달해야 할지 몰랐어. 시간은 불에게 최선을 다해 설득하려 했지만 오히려 불의 눈에는 시간이 발악하는 것처럼 보였지. 그런 시간을 불은 외면했고 떠나버렸다. 시간은 오랫동안 자신과 꼬여버린 상황을 원망했단다. 여전히 시간은 자신의 일을 잘 해냈어. 시간이 필요한 사람들에게 잊지 않고 찾아가 주었지. 점점 자신을 원망하는 시간은 줄었고 불을 원망하게 되었단다. 이렇게 잘 살아가고 있는 자신을 보러와 주지 않는 불이 참 미웠던 거야. 과거에 어떤 일이 있었는지 까맣게 잊어버리고는 말이야.

불은 그런 시간을 잊기 위해 노력했지만 그 방법을 몰랐어. 불은 모든지 기억하고 잃어버리지 않기 위해 노력했기 때문이지. 이로 인해 불은 언제나 뜨겁게 타오를 수 있었으니 말이야. 시간과 불은 함께였지만 시간은 불을 잊어가고 있었지. 그쯤 불은 시간을 찾아갔어. 시간은 엄청난 충격에 빠졌어. 하지만 여전히 자신의 일에는 최선이었단다. 불은 시간이 자신을 위해 멈출 수 없다는 것이 슬펐어. 지친 불은 사라지는 듯했어. 세상에는 시간과 사람들이 살아가고 있었지. 아무도 뭔가 이상하다는 것을 알아차리지 못했던 거야.

어느 날 불은 시간을 공격했어. 시간뿐만 아니라 사람들까지 모두. 세상이 혼란스러워졌지. 모든 거짓말이 드러나고 자신의 행복을 위해 덮어두었던 잘못과 비밀들이 세상을 자유롭게 날아다녔어. 이들이 얼마나 답답했던지 쉬지도 않고 오랫동안 날아다녔지. 처음에 시간은 불이 무슨 일을 벌인 건지 알지 못했어. 시간은 모르는게 많아 아는데 오래 걸렸지. 한참 시간이 흐른 뒤에야, 자신을 위협하고 있다는 것을 알게 되었어. 불을 찾아가 소리쳤지. "나에게 왜 이러는거야? 난 잘살고 있고, 너도 잘살고 있는줄 알았는데. 모든게 완벽에 가깝게 흘러가고 있는데 왜 망치는 거냐고!" 시간의 말을 들은 불은 웃음을 터뜨렸지. 아주 큰 웃음소리가 하늘을 울렸어. "내가 망치고 있다고? 잘 봐. 내가 정말 망치고 있는 건지. 정말 망칠까봐 두려운 건, 네가 만든 찌질하고 어리석은 행복이겠지. 솔직해지자. 아직도 시간이 필요하니? 도대체 언제까지 모른다고 빠져나갈 거야?" 불은 계속해서 시간을 비난하고 내리쳤고 시간은 무엇이 잘못된 것인지 알 수 없었다. 대신 불이 저지르는 변화, 행복의 파괴처럼 보이는 것에 참을 수 없었다. '모든 것이 잘 되어가는데 불이 망쳐버리고 있어. 나랑은 대화할 생각도 하지 않고 이렇게 불쑥 나타나서 뭐하는 거야. 불은 이 세상에 필요 없어. 사라져야 해.' 시간은 우선 그 자리를 피하고 싶었어. 멈추지 않으면 마치 불이 자신을 삼켜버릴 것 같았거든.

　불은 자신의 자리로 돌아왔어. 사람들은 불이 없었다는 것을 조금씩 알아차리기 시작했지. 어떻게 살았나 몰라. 시간이 지나면 없어질 것이라고 믿으면서 추운지도 몰랐던 거야. 사람들은 어떻게 해야 할지 몰랐어. 처음에는 그냥 화만 났거든. 맑았던 세상이 자꾸만 역겹게 보이고 구토가 나올 것 같았어. 그럴 때면 잠시 멈춰 섰지. '괜찮아, 괜찮아.' 정말 구토가 나오지는 않았으니까. 구역질뿐이었지. 가시를 달고 있는 붉은 장미가 아름답다고 생각했는데 누군가의 온실 속 화초로 보였어. 꽃 속을 들여다보면 작은 요정들의 마법 같은 세상이 있다는 상상에 빠지고는 했는데 그마저도 유리거울처럼 산산조각 나버렸던 거야.

　이미 모든 것이 제대로 되어가고 있었어. 내가 바라보는 나의 모습이 사랑스러워서, 만족스러워서 잘못 펜 단추를 그대로 입고 나가버린 거야. 사람들은 한마디씩 하곤 했지, '단추 잘못 끼웠다, 얘.' 나는 그 말을 듣지 않았지. 단추를 풀어버리면 어떤 모습으로 거울 앞에 서야 할지 몰랐으니까. 이렇게 세월이 흘렀고, 어느 날 불이 나타나 시간을 없애버렸지만 잠깐이었어. 불은 시간을 자신의 세상으로 초대했거든. 이렇게 해서 불과 시간은 함께 살아가는 거야. 어머 얘, 너 참 피곤해 보인다. 여기까지만 할게."

　"네 조금요. 아, 그럼 제가 사는 이 세상은요? 시간도 아니고 불도 아닌 것 같아요. 지금은 어디에요?" 여자는 한참을 뜸을 들였다. "내가 무슨 말을 해야 할지 모르겠구

나. 너의 세상에는 시간도 없고 불도 없으니 말이다." "그게 무슨 말씀이세요?" "글쎄, 말 그대로 시간과 불이 없다는 말이지. 처음엔 시간의 세상에서 온 줄 알았다만 너의 얼굴을 보자니 그런 게 아닌 것 같구나. 넌 어디서 온 것이냐." "저 전, 시간의 세상에서 왔어요. 시간을 만나서 불에게 꼭 찾아가 보라고 이야기했어요. 제 친구들은 불의 세상에 살고 있어요. 시간과 불이 서로 함께 하기를 바라고 있을 뿐이에요. 말해주신 것처럼 예전과 같은 모습으로요."

"그래… 그런게야." 노인은 잠시 과거를 생각한 듯하더니 말했다. "시간의 세상에서 불의 세상으로 가는 것은 생각보다 쉬운 일이 아니었다. 그 사이의 시간과 불의 혼합들이 무한정으로 생겨났지. 그들이 참 불쌍해. 불도 아니고 시간도 아닌, 그저 피 흘린 이들이지. 처음엔 시간과 싸웠지만 나중에는 불과도 싸워야 했어. 그들은 상처받고 고통스러워했단다. 결국 혼란스러운 그 상황에서 세상을 누려보지도 못하고 떠나고 말았어. 너도 알겠지만 말이다, 불의 세상에서는 일 년에 한 번 바닥에 사는 사람들을 초대한단다. 넌 아마 그 초대장을 받았지?" 이름은 편지를 떠올렸다. 불의 세상으로 초대였다. 이름은 고개를 끄덕였다. "그래, 그 초대장은 바닥에 사는 사람들을 위한 것인데, 넌 아마 길을 찾지 못하고 어정쩡한 어딘가에서 헤매고 있는 것 같구나. 지금쯤이면 파티가 열리고 있을 텐데…. 네가 있을 곳은 여기가 아니라 그곳이겠지. 어쩌다 길을 잃었는지 모르지만 말이다. 아직 늦지 않았다. 파티가 열리는 곳으로 가거라. 사람들이 너를 기다리고 있을게다." 이름은 놀랐고 그저 혼란스러웠다. 놀란 마음에 심장이 마구 뛰었다. "전, 전… 파티에 가지 않을 거예요." 여자는 가만히 이름을 들여보면서 무슨 생각 때문인지 의아해했다.

"시간을 만나야겠어요. 지금 당장. 어디로 가야 할지 알고 계시죠?" 이름은 여자의 눈에서 시간과 닮은 점을 발견했다. 무언가를 알아내려고 하는 표정에서 자신을 드러내고 만 것이다. "비밀로 해드릴게요. 어서요." 주저하는 여자를 이끌고 오두막 밖으로 나왔다.

비바람이 거세게 몰아치고 있었다. '비와 바람. 이것은 나를 위한 것, 망각하는 사람을 위로하는 거야.' 이름은 비바람을 뚫고 길을 걸었다. 온몸이 추위에 떨렸다. 갈대밭을 헤치고 숲으로 들어왔다. 여자는 묵묵히 그 뒤를 따라 걷다가 멈췄다. "아무리 찾아도 시간은 없어." 이름은 발걸음을 뒤돌아 여자를 바라보았다. "네? 그게 무슨 말씀이세요?"

"시간은 없다고. 영영 사라졌어. 여긴 불의 세상이오. 시간도 불도 없는." "불도 없고… 시간도 없다뇨?" "없지만 없는 건 아니야. 언제든지 불과 시간을 만날 수 있으니까, 그러니까 우리의… 마음속에서. 그러니까 파티에 가시오. 거기에서 불과 시간을 기억하는 이들과 함께…" "이해가 안 돼요! 도대체 무슨 말씀을 하시는 거죠?"

"시간은 불을 되돌려놓았고 불의 세상이 왔지. 그 뒤로 시간은 사라졌어. 불은 시간을 찾으려고 노력했지만 찾을 수 없었지. 불은 시간이 없는 세상에서 살 수 없었어. 시간은 불이 없을 때 엄청난 노력을 기울였어. 고통을 이겨내고 세상을 멈춰내지 않기 위해 쉬지 않고 일했지. 시간에게 휴식이란게 있겠니. 불이 없으니 더 힘들었지만 세상을 멈출 수 없었단다. 많은 사람이 자신을 믿고 바라보고 있으니 말이야. 시간이 멈춘다면 세상 모든 것이 멈춰버리는 것이겠지. 불은 그것을 원했던 걸까? 시간을 생각하고 또 생각했어. 자신이 바라는 것이 무엇인지, 불이 원하는 것이 무엇인지. 시간은 많이 후회했지. 시간과 불이 함께 보냈던 날들이 얼마나 좋았는지, 자신이 얼마나 못났는지. 자신을 견뎌내기가 어려웠단다. 결국 불을 되돌려 놓고서 시간은 사라져 버렸어. 불은 자신의 힘으로 그 비슷한 것을 만들었지만 역부족이었지. 결국 불은 제대로 된 시간을 찾기 위해 시간 속으로 사라졌어. 결국 그 둘은 만났단다. 우리 마음에 그 둘이 함께 있으니 말이야." 이름은 세상이 무너져 내리는 것 같았다.

"전 그냥 시간이 잠깐 쉬었으면 했어요. 그렇게 마르고 그렇게 날이 바짝 선 시간에게 휴식이 필요한 것 같아서요. 시간이 멈추면 오히려 좋을 거라고 생각했어요. 오로지 불의 세상인 것이잖아요. 마음대로 모든 할 수 있어 자유로울 거고. 그 자유 속에서 시간도 잠시나마 행복을 누리고 불과 지낼 수 있도록 하고 싶었던 건데⋯ 어떻게 그 둘 모두 사라질 수 있는 거죠? 그럼 여긴 어디예요. 제가 있는 이 세상은 어디인 건지 도대체 모르겠어요. 시간도 아니고 불도 아닌 그저 그런 세계인 것인가요?"

여자는 망설이다 말을 이었다. "불의 세상을 기억하는 사람들, 나처럼 말이야, 그 사람들이 모였고, 시간의 세상을 그리워 하는 사람들 아주 소수지만 그들도 함께란다. 또 너처럼 중간 세계만을 기억하는 이들도 아주 많이 있지. 떠나지 못한게 아니란다. 남은 세상은 존재하지 않아. 모두 막혀버려서 갈 곳이 없었단다. 사람들은 행복을 찾는단다. 시간과 불이 없더라도 그들만의 세상을 만들어 간단다. 나는 너와 '시간'의 대화가 얼마나 중요한 것이었는지 알지. 그러니 그것 때문에 너무 자책하지는 말 거라. 남아있는 비와 바람, 별이 소소한 행복을 안겨준단다. 떠나야 할 사람들은 떠난 것뿐이란다. 너의 책임이 아니지." 이름은 자리에 주저앉고 말았다. 허무했다. 앞으로 나아갈 길이 남아있다고 생각했는데 없었다.

"그들은 영원히 잠들어 있잖아요. 이곳은 시간도 없고 불도 없는 중간 세상이고, 불의 세상은 바닥에 사는 사람을 초대했는데 전 길을 잃은 거예요. 아무것도 기억하지 못하는 거고. 그럼 난 무엇을 믿고 서 있어야 하는 거죠? 아세요? 저에게 알려줄 수 있으세요? 다시 돌아가야겠어요. 오두막에서 사는 건 원하는 일이 아니었어. 뭔가를 피하려고 했던 거예요. 실은 오두막에 숨으려고 했던 거야. 그건, 그건… 불이에요. 불! 불의 세상으로부터 물러나고 싶었어요.

난 한평생을 시간의 세상에서 살아왔는데 어느 날부터 시간을 부정하게 됐어요. 비난하면 할수록 맞는 말이고, 시간의 세상에서 벗어나고 싶었어요. 모든 잘못은 시간에게 있었으니까. 그러다 불을 알게 됐어요. 불이 시간의 세상에서 벗어나는 방법이라는 생각을 하게 된 거예요. 그러면 모든 할 수 있을 거라고 생각했는데 그것도 아니었죠. 시간과 불은 하나인 거예요. 함께 있어야 피하지 않고 제대로 바라볼 수 있는 것. 어느 한쪽이 꼭 나쁘다고 할 수 없죠. 결국에는 그 둘 모두를 잃었으니까… 오두막으로 간 거예요. 시간의 세상에서도, 불의 세상에서도 시간과 불이 함께 하는 세상에서도 그 어느 세상에서도 난 떳떳하지 못했어요. 의심하고 또 의심했죠. 내가 서 있는 세상을 의심하고, 나를 의심하고, 나를 둘러싼 사람들을 의심했죠. 믿을 수 있는게 없었어요. 누군가 어디로 가야 하냐는 물음에 답한다 하더라도 믿지 못했을 거예요. 다른 길로 틀어갔을 거예요.

난 그런 사람이에요. 그래서 결국 숨은 거예요. 함께 할 수가 없어서 모든 사랑하는 것들과 작별했어요. 외롭고 쓸쓸하게 나 혼자 그런 처량한 모습을 굳이 보여주고 기다리면 누군가 찾아올까 해서. 내 아픔을 똑같이 겪은 사람이 찾아와서 꼭 안아줄까 싶어서. 언젠간 그럴 거라고 믿어서."

마치 독백하듯 열변을 토한 이름은 여자를 보고 웃음 지었다. 마치 시원한 한숨을 내쉬는 것 같은 미소였다. 당황하는 듯했으나 묵묵히 듣고 있던 여자가 말을 꺼냈다. "그게 나는 아니지?" "아니죠. 아니에요. 아닐 거야. 당신이라면 안 돼요. 아무래도 아직 더 기다려야 하나 봐요. 뭘 하고 기다려야 할까?"

"정말… 기다릴 수 있어? 이 오두막에서, 뭘 하려고." "지금처럼. 아주 나쁘진 않게 노력할 거예요. 지금처럼 아무것도 없이. 괜찮을 만큼 손해 보면서. 누군가 와서 불쌍하다, 처량하다 느낄 만큼. 한참을 시간 보내고 나갈 땐 이렇게 생각하도록, '저 사람 참 이상도 하다.' 하고 별일 아닌 듯 웃음 짓고 갈 수 있게. 그렇게 살고 있을 거예요."

"참 싫다. 싫어. 이제 가볼게. 다시 볼 일 없겠지만, 그래도 언젠가 다시 만나길." 그는 오두막 반대편으로 쭉 걸어갔다. 이름은 방향을 돌려 다시 오두막으로 향했다.

알 수 없는 눈물이 흘렀다. 아무것도 할 수 없다는 무력감에 짓눌렸다. 오두막으로 내딛는 걸음마다 무겁게 느껴졌다. 모든 것이 낯설었다. 다시 그 안으로 돌아갈 것만 같은 느낌. 행복하게 웃고 있는 온실로. 영영. 오두막의 오래된 문을 열고 안으로 들어왔다. 이름은 다시 한번 집을 둘러보며 놀란다. 이곳은 나의 집, 나의 세상. 절대로 낯설지 않은 것. 익숙한 유리병에 갇히는 것보다 오두막집을 택하겠다. 이곳에서 땅을 여행하고 바다를 보며 사라진 시간을 찾아다니겠다. 장작을 쪼개 불을 피우고 아궁이에 모락모락 김이 피어오를 때, 짚 위에서 잠든 그 날을 생각한다. 두려웠던 그날 밤. 유리병을 깨고 나온 그날 밤. 아무것도 변하지 않은 이름의 오두막. 무언가 발에 밟히는 것이 있었다. 그에게 건네주었던 담요였다. 그 안에 무언가 쌓여 있었다. 의아한 기분으로 담요를 들춰 보았다. 흰 도화지였다. 종이에는 투명한 유리잔이 그려져 있었다. 마치 실제인 것처럼 생생한 그림이었다. 종이의 끝부분에는 글이 쓰여있었다. '깨지지 않는 유리잔.' 이름은 종이에 그려진 깨지지 않는 유리잔을 한참 동안 바라보았다.

이름은 다를 것 없이 오두막에서 생활했다. 여전히 떨어질 것 같은 이불을 침대에서 끌어올리고 창문을 열어 아침 공기를 마셨다. 여름이 지나고 있었다. 태풍과 비바람을 맞던 기억이 나는 계절이었다. 뜨거운 볕이 내리쬐는 날이 무서워 땀 흘리며 꽁꽁 싸매고 오두막 밖으로는 한 발짝도 내밀지 않았다. 시원한 바람이 부는 밤이 되어서야 밖으로 나와 지는 별들을 무던히 바라보았다. 내려다본 오두막 주변에는 풀이 많이 자라있었다. 이름은 새벽에 일어나 풀을 뽑기 시작했다.

'여자는 왜 그림을 그려놓고 갔을까. 깨지지도 않지만 무언가를 마시고 새로 담을 수도 없는걸. 어제는 비어 있던 것이 오늘은 채워져 있고, 오늘 비웠다면 내일은 채워야 하는 것이 아닌가. 저것은 빈 잔인가. 무언가 채워져 있단 말인가. 배가 고프다. 배가 고파…' 점점 오두막의 음식들이 떨어져 가고 있었다. 아주 예전부터 그랬다. 하지만 어디로 가야 음식을 구할 것인가. 무슨 수로 음식을 얻을 것인가. 이상하게도 이름은 그것이 걱정되지 않았다. 단지 음식만이 목적이 된 것에 대하여 왠지 모를 만족감을 느꼈다. 여자는 사람의 마음에 **불**과 **시간**이 함께 존재한다고 했다. 이름은 그 말을 믿지 않았다. 사람의 마음에는 시간도 불도 없다. 이름이 살아온 세상은 그렇다. 딱히 무어라 할 것이 마음에 없었다. 그러나 시간을 보는 사람들, 불을 보는 사람들 그 모두를 보는 사람들이 있었다.

　지금 이름의 마음에는 단지 음식을 구해야 한다는 목적 이외에는 존재하지 않았다. 오두막을 나와 숲을 지나고 음식이 있는 곳으로 갈 것이다. 누군가는 이름을 외면할 것이고 누군가는 이름에게 도움을 줄 것이다. 어쩌면 바닷가에서 그를 다시 만날 수도 있겠지.

4장

무엇이든 할 수 있다는 것은 불에게 큰 만족과 행복을 가져다주었다. 한 번도 상상해 본 적이 없기에 모든 것이 새롭게 느껴졌고 믿을 수 없었다. 이렇게 행복해도 될까 하는 편안한 기분으로 하루하루를 보내고 있었다. 캐럿은 마음대로 조절할 수 있었다. 슬픔을 느끼고 싶을 땐 슬퍼했고, 구름 위에 오르고 싶을 땐 올랐다. 화를 내야 할 때 마음껏 화낼 수 있었다. 아무것도 하고 싶지 않을 때 아무것도 하지 않았고 아주 많은 무언가를 해야 할 때 놀랍게도 아주 많은 무언가를 해내고 매듭지었다. 그러면서도 자신의 부족한 점은 무엇인지 보완할 줄 알았고, 크게 낙심했다가도 스스로 상처를 치유할 수 있게 되었다. 불은 그런 캐럿의 변화를 함께 지켜보았다.

어느 날 불이 물었다. "모든 것이 괜찮니?" 다정한 불의 물음에 캐럿은 잠시 고민한 뒤 대답하였다. "네. 불의 세상에 온 뒤로 모든 것이 좋아요. 정말요. 빠짐없이. 딱 한 가지, 제가 해결할 수 없는 것을 빼면요. 이름한테 초대장을 보냈는데 아직까지 찾아오지 않았어요. 무슨 일이 생긴 것 같아서 걱정돼요. 모든 것을 할 수 있지만 이름이 이곳에 오게끔 할 수는 없네요. 아무리 신호를 보내봐도 모르는걸요." 불은 한참을 캐럿의 곁에 있다 갔다. 파도 소리와 붉은 하늘이 외롭게 느껴지는 저녁이었다.

침묵. 그 안에 보이지 않는 것이 있다. 비명, 울부짖음. 드러내는 듯하지만 가려진 것이 있다. 캐럿과 불은 그것을 기억하고 있었다. 차라리 잃어버리고 훌훌 털어버리는 것이 나았을 수도 있다. 그들은 잊지 않음으로써 더 많은 것들을 할 수 있었다. 고통 안에 숨겨진 것이 무엇인지 찾아냈다. 그 무렵 시간도 불의 신호를 알아차렸고 마침내 불과 마주할 수 있게 되었다.

시간은 가려지고 보이지 않는 것에 대해 사과했다. 쉽게 잊어버리고 넘겨버렸던 것에 대해 잘못을 인정했다. 눈물 흘렸고, 자신의 절반을 불에게 내어주었다. 이로써 불은 시간의 절반을 가지게 되었고, 며칠 동안 불의 세상에 머물며 한 번도 경험해 보지 못한 새로운 행복감과 안정감을 느꼈다. 비로소 제자리를 찾은 듯한 느낌이었다. 어느 날 시간과 캐럿이 해변에 누워 해지는 모습을 바라보고 있었다. 캐럿이 말을 꺼냈다. "당신에게 정말 필요한 건 뭐였어요?" 시간은 캐럿의 질문에 살짝 미소를 머금고 대답했다. "행복, 그것 말고 더 있었을까? 오직 그 뿐이었다는게 문제였지만." 시간은 캐럿의 표정을 살핀 후 말을 이었다. "더 빨리 알고 멈췄으면 좋았겠지. 그런 생각이 들어. 예전이라면 이런 생각을 하지 못했을 거다. 얼른 잊고 사람들을 위해 열심히 일하는 것, 물 한잔의 여유를 아껴 쓰고 다시 일하러 가는 것만 알았지. 잊는다는 것이 어떤 의미인지, 잃는다는 것이 어떤 느낌인지 몰랐단다. 시간이 지나면 모두 사라질거라고 생각했으니 말이야. 하지만 사라지지 않고 오랫동안 반복되었지. 시간이 지나도 해결되지 않는 것은 시간으로 해결해야 할 것이 아닌데 말이야."

"당연하게 여겼던 것들 그게 정말 당연한 게 아니었다는 걸 알게 된 거죠. 그리고 그 익숙함에서 쉽게 벗어날 수 없다는 것도 알았고. 도대체 뭘 해야 하나 막막했는데 우연히 남자를 만났고 이름을 만났어요. 이 모든게 우연이 아니었다는 건 당신이 잘 알고 있겠지만."

시간은 무안한 표정을 지으며 말했다. "그래, 알고 있었구나. 그 아이는 어렸을 때부터 부족함 없이 자라왔단다. 장난스럽고 놀기도 좋아하는 건강한 아이였는데 어느 날부터 점점 허약해지더니 웬 '인형'에 기대어 말하고, 웃고, 우는 것이 아니냐. 그 아이가 빌었던 모든 소원은 허무하기 그지없었어. '어느 날 나에게 말을 걸어줘, 그럼 비밀을 말해줄게.' '내가 어른이 되면 너와 결혼 할 거야.' '오늘은 정말 힘든 날이야. 날 좀 안아줘.' '사랑해…. 너도 나에게 이 말을 할 수 있다면 좋을 텐데….' 이 무슨 허무하기 그지없는 말이 아닌가 싶었다. 시간이 지나면 괜찮아지겠지 했는데 어른이 되어서도 계속 널 찾기만 했다. 그래서는 안되었지만 그 아이가 가질 수 있는 것보다 더 많은 시간을 주고 말았다.

하지만 그 행운을 알아차리지 못하고 여전히 잊지 못하더구나. 난 참을 수 없이 화가 났다. 약속을 어긴 것에 대해 화를 낼 줄 알았는데 불은 축하를 해주었다. 드디어 잊지 못하는 기억이 생긴 것이냐면서. 그것이 무엇을 만들어낼지 알고 있냐면서. 아주 시원한 웃음을 터뜨렸어. 마치 그러길 원한 것처럼. 그때의 난 그게 무슨 의미인지 몰랐다."

"이젠 아시죠. 세상에 평등한 시간은 없다는 것을. 시간은 평등할 수 없다는 것 말이에요." 시간은 또다시 눈물을 글썽거렸다. "평등할 것이라 믿었던 내 모습을 받아들이기가 어렵구나. 불의 세상에 오면서 많은 것들이 안정되었다. 다만 한 가지 걸리는 것이 있지. '이름'이라는 아이를 알게 되었는데." 캐럿이 멈칫했다.

"이름이요?" "그렇단다. 그 아이가 나를 위한 공간을 남겨두겠다는 약속을 했단다. 그 아이가 그 약속을 잊지 않고 있지 않다는 걸 알고 있는데 이전의 세상으로 돌아갈 순 없잖니."

캐럿은 이름을 대신해 말할 마지막 기회임을 직감한다. "화가 나요. 배신당한 느낌이 들어서. 당신을 너무 믿었어요. 당신이 나에게 신뢰를 줬으니까. 처음엔 그렇게 생각했어요. 근데 자꾸 보니까 이상하게 안쓰럽네요. 당신이 어떤 의도를 가졌길래 그랬을까 생각했는데 아무것도 안 가졌잖아요. 아무것도 모르면서 왜 다 아는 척했어요? 아무말도 못하게 해놓고 말하라니 도대체 어떻게…" 시간은 아무 말도 못하고 소리 내어 울었다. 캐럿은 마음이 찢어질 듯 아팠다. 붉어진 얼굴을 바람이 쓸어 넘겼다.

음식을 구하러 간 이름은 한참이 지나서야 집으로 돌아왔다. 온몸에 힘이 빠졌지만 이런 일 저런 일을 돕고 나니 가방이 두둑해졌다. 가방 안에는 온갖 식물들의 씨앗도 있었다. 앞으로는 씨앗을 심어서 물을 주고 햇볕을 쬐어 길러 먹을 것이다. 도착하면 우선 가방을 내려놓은 뒤 편안하게 누워 한잠 자고 일어나 땅을 일구리라.

살며시 입가에 미소가 번졌다. 우편함이 없는 숲속 오두막. 이름은 오두막 문을 닫으며 생각했다. '어쩌면 지금이 불의 시간일지 몰라.' 이름은 지금까지의 캐럿, 시간, 여자, 남자의 이야기는 모두 꿈이었을지 모른다고 상상하며 가방을 내려놓았다.

나가며

 이 모든 일을 겪게 한 이름에게 사과한다. 어느 아무 대답 없는 어두운 아침에. 겪지 않아도 될 일을 겪게 해서 미안하다. 매일을 그리워하게 해서 미안하다. 겉으로 보면 무덤덤해 보이는 이름이 안쓰럽다. 어느 때보다 뜨거운 마음을 자유롭게 표현하지 못하는 것이 슬프다. 자기만의 세상에서 싸우고 있는 모습이 내 마음을 걷잡을 수없이 아프게 한다. 그동안의 모든 마음고생이 어서 가라앉아 편해지길 바란다. 오두막에서 그 모든 일을 해나가는 외롭고 고독한 이름의 일생이여. 오두막으로 돌아오는 모든 이들을 위해. 온 마음을 다해 희망을 전한다. 오늘도 새로운 아침이 밝았다. 아무도 찾지 않는 깊은 숲속에 도착해 있다. 지구를 사랑하는 모든 이들에게 전한다, 우리는 이렇게 살아간다.

제 3 장 향기

사람은 누구나 자기의 향을 가지고 있다. 이 향기는 맡을 수 없고 오직 느낄 수만 있다. 향은 때로 있기도 하고 없기도 하다. 언제나 강한 쪽에서 약한 쪽으로

향이 움직이는 방향을 결정하는 것은 바람의 방향이다. 바람이 어느 방향에서 부는가에 따라 의도치 않은 영향을 줄 수 있다.

마리는 자신이 누군가에게 의도하지 않은 영향을 준다는 것이 혼란스러웠는데 그로 인해 자신이 바라지 않았던 사랑과 관심을 받았기 때문이다.

마리의 삶이 오직 향에 대한 주제로 이뤄진 것은 아니지만 유독 마리를 괴롭히는 주제란 '향'에 대한 것이었다. 따라서 겉으로 드러내지 않은 이 혼돈이 마리와 함께 있으려 할 때면 밖으로 나와 걸으며 자신의 삶에 대해 생각했다. 마리의 '향'은 싸움을 멈추게 하고 방황하는 사람들을 바로잡아 주었다. 시간이 흘러 마리가 살던 곳을 떠나 낯선

곳으로 대학을 가면서 마리는 이 사실을 확신했고 자신이 '좋은 영향을 주는 **운명**'을 타고난 것이라고 결론을 내렸다.

　　대학이 있는 소도시. 이곳에서도 시간이 흐르자 마리는 자신이 사람들에게 어떤 변화를 일으키고 있다는 것을 알게 되었다. 이러한 알아차림은 마리를 기쁘게 하기보다는 의아하고 당혹스러워 벗어나고 싶다는 느낌이 들게 했다. 그래서 사람들로부터 거리를 두었고 외로워졌다. 한편으로는 외로운 자신을 알게 되는 것이 좋았다. 마치 홀로 있기 위해 지금껏 노력 해온 것은 아닌가 하는 생각이 들기도 했다. 스스로 먼저 문을 걸어버린 마리는 자신의 삶을 위해 밖으로 나와야 한다는 걸 알았다.

　마리는 자신의 집에 놓아둘 꽃을 사기 위해 꽃집을 찾아갔다. 모퉁이를 돌아 쭉 걷다 보면 보이는 작은 공원 옆에 있는 꽃집이었다. 마리는 그 꽃집에 일주일에 한 번씩 들러 꽃을 샀다. 한 달쯤 되었을 때 마리는 꽃을 건네주는 가게 주인 일민의 손목에 새로운 무언가가 더해 진 것을 발견하였고 호기심으로 보던 중 눈이 마주쳤다. 일민은 자신의 새로운 타투를 가리키며 말했다. "아, 엊그제 한 거예요. 빨간 운명의 실, 예쁘죠." 마리는 고개를 끄덕이고 말했다. "네. 정말 예쁘네요. 잘 어울려요." 일민은 넉살 좋은 웃음을 지으며 말했다 "하하, 감사합니다. 오늘도 같은 꽃으로 드리면 되죠?" 마리는 고개를 끄덕였다.

　그날 마리는 꽃을 사고 나서 얼마간 일민과 대화를 나눴다. 둘은 마치 오랫동안 알고 지낸 듯한 느낌이 들었다. 마리에게 일민은 편안한 느낌을 주었고 일민에게 마리는 세상을 잘 모르는 순진한 사람처럼 보였다. 새로운 사람과 친해질 때의 기분은 중독성이 있을 만큼 좋다. 그날은 마리에게서 일민에게로 바람이 불었다.

 얼마 후 일민과 마리는 일민의 지인이 운영하는 한식집에서 저녁 식사를 하기로 했다. 일민은 마리에게 조만간 외식업에 뛰어들 생각이라며 마리는 어떻게 생각하냐고 물었다. 마리는 네가 하는 것이면 무엇이든 잘할 것이라고 말했다. 마리는 자신이 어떻게 말하든 일민에게 중요하지 않다는 걸 알았다. 일민의 생각은 아주 오래되어 온 것이고 부모님이 물려주신 꽃집 운영에 관해서는 자신이 할 수 있는 만큼 했으니 이젠 정리하고 새로운 사업을 도전하고 싶은 거였다. 그러면서 일민은 이제 꽃향기가 아닌 돈의 향기를 맡고 싶다고 했다. 일민스러운 말이었다. 새로운 일이란 어떻게 될지 모르는데. 일민의 새로운 사업에 대해 마리는 별로 할 말이 없었다. 일민이 이미 만들어 놓은 것에 대해 말하는 수밖에. "지금껏 네 덕에 예쁜 꽃을 샀었는데 아쉽다." 순간 일민은 당황하며 말했다. "아, 꽃집도 계속할 거야." 마리는 놀라서 되물었다. "꽃집도 계속한다고?" "응, 네가 원하면." 마리는 놀란 표정을 지었다. "하하, 사실 꽃집을 접는 건 아무래도 아쉬운 마음이 크더라고. 그래서 아는 누님께 부탁드려서 운영하시는 걸로 이야기해두었어. 누님께 가게의 운명을 맡겼으니 난 이제 손을 놓을 거지만, 그러니까 꽃집은 계속 거기에 있을 거야."

　마리는 학교와 도서관을 오가며 새 학기에 적응했고 수업이 끝나면 매주 꽃집을 찾아와 꽃을 사 갔다. 일민은 꽃집에서 꽤 멀리 떨어진 지역에서 새로운 사업 준비로 분주했다. 동시에 한 달에 한 번씩 마리가 올 때를 맞춰 꽃집에 들렀고, 마리와 만나 이야기를 나누거나, 저녁을 먹었다. 이러한 만남은 마리의 삶에 안정감을 주었고, 마리는 향기에 대해 생각하지 않았다. 일민에게서 마리를 향한 바람이 불었다.

　장마철이었다. 마리는 강의실에서 정율의 교양 강의를 듣고 있었다. 마리의 학년이면 교양과목은 들을 만큼 들어서 더 듣지 않아도 되지만 마리는 정율의 강의를 매 학기 듣는다. 강의는 12명 정도의 소규모로 진행되어서 매번 작은 토론을 할 수 있었다. 수업을 마무리하며 정율은 마리의 오른쪽 옆에 앉은 학생에게 질문했다. "선화씨는 (혹은 선아. ―마리는 확실히 이름을 알지 못했다.) 사랑이 뭐라고 생각하세요?" 학생이 마치 기다렸다는 듯 곧바로 답했다. "사랑은 인간이 만든 게임 같아요. 인간은 사랑보다 더 강력한 감정들을 통해 살아가요. 사랑이 아니어도 다른 본능적인 감정을 통해 사람은 충분히 살아갈 수 있죠. 그런데 인간은 사랑이라는 게임을 만들어서 이 게임에 대부분이 참여하도록 규칙을 세웠어요. 법을 만들었죠. 게임에 참여하지 않으면 '이상한' 혹은 '비정상적인' 존재로 보이게요. 사랑이란 개념을 만들면서 인간은 길을 헤매게 되었다고 생각해요." 재밌는 답변이었다. '나라면 뭐라고 말할까, 사랑은 그냥 바람 같은 건데.' 그때 정율은 "마리씨는 사랑이 뭐라고 생각하세요?" 하고 물었다. 마리는 생각을 조금 정리한 후 말했다. "사랑은 본능적인 것이라고 생각해요. 인간은 배우지 않아도 사랑할 줄 아니까요." 그리고 서둘러 덧붙였다 "앞서 말씀하신 것처럼 사랑이 게임이라면, '보통' 혹은 '정상적인' 사람들은 게임에서 몇 가지 규칙을 알면 그 이후엔 직감적으로 알죠. 어떻게 해야 할지. 전 이렇게 생각하는데. 스스로를 '보통' 혹은 '정상'이라고 부르는 사람들은 게임 규칙을 듣지 못했거나 규칙대로 할 수 없는 사람들이 있다는 걸 몰라요. 알아도 모른 척하죠. 아님 규칙을 알아야 한다고 강요하거나. 이런 사람들을 보면 안타깝고 어쩔 땐 화가 나기도 해요." 이어서 맞은 편에 앉은 뾰족 머리의 키위(정말 뾰족한 스타일의 키위다. 인간이 아닌 우리가 아는 그 키위) 가 말했다. "저는 누군가 절 사랑한다고 말하면 그 사람을 완전히 믿게 돼요. 게임의 규칙을 듣지 못했다고 할 수 있죠. 하지만 이젠 '사랑'이라는 달콤한 말을 믿지 않아요. 게임에서 아예 나와 버렸어요. 그리고 사랑이라고 하는 게임 밖에 있는, 사랑이 아닌 다른 것을 믿어요. 기억을 믿죠." 정율이 되물었다. "어떤 기억이죠?" 키위는 고민한 뒤 대답했다. "어떤 사람들을 만났는데 그들은 나와 함께 밥을 먹고 한 달에 한 번은 다 같이 모여 토론을 하고 서로 음식을 만들어

나눠 먹어요. 전 이런 기억을 믿어요." 이후에도 계속되는 토론. 마리는 다른 사람들의 솔직하고 약간은 동화 같은 생각들을 경청한다. '역시, 이 수업은 만족스러워. 교수님 덕이지.' 그들은 모두 정율의 앞선 강의에 따른 생각을 조금씩 모방하고 있었기 때문이다. 바람은 정율에게서 학생들에게로. 마리는 다시 향기에 대해 생각하고 있었다.

장마철이 끝난 무더운 여름이었다. 학기 말 시험과 방학을 앞두고 있었다. 시험 준비를 하던 중 마리는 책상에 놓인 꽃을 바라보았다. '이번 주에 일민을 만나고 싶은데. 다음 주가 지나고 또 한 주가 더 흐른 뒤에야 오겠지.' 마리는 자신이 일민을 좋아하는 것 같다고 생각했다. 마리는 일민을 좋아했다. 일민도 마리를 좋아했고. 하지만 그 이상도 그 이하도 아니었다. 여전히 마리는 일민을 만나고 싶었다. 일민도 마리를 만나고 싶어 할까?

시험이 끝난 뒤 마리는 집으로 돌아가야 했다. 집으로 돌아가서 방학 동안 이모가 운영하시는 서점에서 아르바이트를 하기로 했다. 마리가 일민에 대해 생각하던 시간에 이모는 방학 동안 아르바이트를 제안하려 마리에게 전화를 걸었고, 마리는 방학에 무엇을 하며 보낼까 고민하던 차에 결정한 것이다. 이로 인해 자연스럽게 일민에 대한 생각은 사라지고 마리는 다시 책과 노트 위로 시선을 옮겼다.

이모네 서점 : 책 속의 컵

마리는 책을 읽는다. 이모는 마리가 읽고 있는 책을 흘끔 본다. '음. 『어린 왕자』네.' 마리에게 주려고 가져온 시원한 커피 한잔을 건네며 말한다. "샌드위치 더 먹을래?" 마리는 커피를 벌컥벌컥 마시며 대답한다. "아뇨. 배불러요. 샌드위치 많아요?" "응. 많아. 항상 몇 개씩은 남으니까 먹고 싶으면 더 먹어도 돼." 네, 하고 마리는 활짝 웃는다. 이모가 만든 샌드위치. 정말 맛있다. 뭐가 들어가는지 모르겠지만 정말 맛있다.

서점은 아침 일찍 문을 연다. 마리는 서점이 문을 열기 전에 와서 이모가 만든 샌드위치를 먹고 커피를 마셨다. 이모는 밤에 마리에게 미리 문자를 보내두었다. '일찍 오면 아침으로 샌드위치 제공. –이모가' 문자를 받은 마리는 바로 침대에 누워 잠을 청했다.

서점의 책은 처음부터 있었고, 책에 관한 일은 이모가 맡아서 하신다. 서점의 모든 책은 이모가 가져온 것이다. 이모네 서점에서는 음식을 그냥 주기도 하고 돈을 받고 팔기도 한다. 대부분은 돈을 낸다. 매번 오는 사람 중에 항상 음식을 그냥 먹는 사람들이 있는데 이들은 언제나 자기 몫만큼 돈을 낼 누군가를 데려온다. 그러니까 사람들은 모두 '그냥' 먹진 않는다. 이모의 서점에서 책 한 권, 음료 한 잔이라도 돈을 내고 사게 한다.

방학 중 서점을 마감하는 청소 업무의 조장은 아르바이트생인 마리가 된다. 마리는 종일 여기저기서 일을 돕다가 청소 시간이 되면 비로소 자기 일을 찾은 느낌이 든다. 이모가 마리에게 서점 일에 대해 유일하게 부탁한 것이기도 하다. '서점 마감하고 청소를 하거든. 그때 마리가 좀 도와줘.' '마감할 때요? 그럼 그전까지는요?' '그냥, 이미 직원들이 자기 일을 하고 있으니까 마리가 더 하지 않아도 돼. 마리야, 여기에는 손님이 있고 책이 있고, 컵과 그릇이 있어. 이들을 관리하기만 하면 돼.' 이모는 아주 간단한 일이라는 듯 말했고 다음 날 마리는 서점으로 출근했다.

　　　서점이 쉬는 날이다. 마리는 서점에 갈 때처럼 일찍 일어났다. 오늘은 혼돈이 찾아오기 전에 그동안 미뤄둔 '나의 앞으로의 삶'에 대해 생각하는 시간을 가질 것이다. 마리는 마리의 방이 있는 2층 다락에서 내려와 부엌에 가서 우유와 빵, 그리고 초콜릿들을 가방에 넣는다. 식탁보와 작은 노트, 펜, 그리고 아주 지루해 보이는 책 한 권을 챙겼다. 그리고 끼익 소리가 나는 갈색 문을 열고 나와 마당에 묶어 둔 자전거의 자물쇠를 풀고 자전거에 올라탔다. 자전거를 타고 높은 곳에 올라갔다. 허벅지 근육에 힘을 주고 오르막길을 올랐다. 주변엔 아무도 없었다. 다만 이 더운 여름날 얼굴이 새빨개진 누군가가 자전거를 타고 오르막을 오르기 위해 애쓰고 있었다. 거칠게 숨을 뱉으며 마리는 가고자 했던 언덕에 도착했다. 저 멀리 마을 전체가 보였다. 눈을 감고 숨을 들이마시고 내쉬었다. 금세 시원한 바람이 불었다. 불타오르는 얼굴을 좀 식힌 마리는 가방에서 식탁보를 꺼내 나무 아래 깔고 앉았다. 그리고 작은 노트를 꺼내었다. 노트에는 마리의 글이 적혀있다.

마리는 주변을 두리번거린 뒤 마을을 향해 소리 내어 글을
읽었다.

〈마리의 작은 노트〉

있지, 이제 마리는 어떤 향이 나는지 상관없어. 너희는
마리가 불쌍하니? 이젠 좋은 향도 그렇지 않은 향도 맡지
못할 것이잖아. 신경 쓰지 않는 건 위험해지는 지름길이잖
아. 그렇다면 말이지, 오직 '향기.' 이 한 가지만 보고 있
다는 뜻이야. 너무 지루하지 않니?

 마리는 자기가 원하는 삶을 살지 못하는 것만큼 불행한
것도 없을 거래. 자기가 정말 필요로 하는 삶은 어디에서
어디로 바람이 불고 있는가, 자신이 얼마만큼의 영향력을
가지고 좋은 영향을 주었는가, 그로 인해 얼마나 많은 분
노를 느꼈고, 얼마나 억울해했는지가 아니라고 말했어.

 마리가 필요로 하는 건 매 순간 인생에서 찾아오는 선물
이야.

고통 속에서 삶이 피어나.

고통을 견디고, 일어서는 자, 기꺼이.

그럼에도 불구하고 아름다운 삶을 펼쳐내는 사람.

 마리는 그 사람을 사랑해.

마리는 시원한 바람을 맞으며 언덕의 내리막길을 걸어 서점으로 돌아갈 것이고, 일민의 개업식 파티에서 푸른 빛의 머리 색을 가진 퍼시를 만나 다시금 자신의 향기를 가지게 될 것이다. 마리의 인생이 오직 향기로 인해 흘러가는 것만큼이나 지루한 건 없을 것이지만, 여전히 마리와 향기에 대한 주제는 계속될 것이다. 대신 나는 그에게 그의 꿈을 현실로 만들게 하는 힘을 주었다.

단어 하나하나, 태도 하나하나, 말투 하나하나에도. 심지어 나의 생각과 나의 일생까지도. 향기는 계속 분다. 기회가 될 때 이에 대해 생각해 볼 시간을 가질 것을 약속함은 고민의 여지 없이 당연한 일이 될 것인데 누군가 대신 생각해 준다면야 나는 그를 고맙게 여기며 동시에 어느 정도 미워하게 될 것이다. 그로부터 향기가 불게 될 테니. 하지만 고마운 마음이 더 클 테다, 진심으로 감사하게 받아들이겠다. 내가 믿는 세상을 살아가는 불은 강순지의 일기와 깊은 숲속의 이야기 그리고 마리의 향기를 기억하고 있을 테니 그것으로 위안 삼으며.

나는 강순지를 잃었다고 생각했는데 강순지는 내 곁에 있지 않았던 적이 없었다. 강순지라면 이렇게 살지 않았을 것이라 생각했는데 이미 나는 강순지의 삶대로 살고 있었다. 내가 곧 그였기에.

강순지의 흔적, 강순지의 단서들은 모두 과거의 내가 남긴 것이기에. 나는 그의 가장 친한 친구이자 곧 나 자신이라고 할 수 있다.

생각보다 지연된 시간은 야속하지만 되돌아오지 않으니 여기서 끝을 맺고 지금을 살아가고자 한다. (책이 끝나가요. 그럼에도 아직 향기에 관해 찜찜한 생각이 드시는 독자분은 부디, 끝을 맺어 주세요. 아이디어는 강순지책에서 유래했음을 절대 잊지 마시고요! 완성된다면 꼭 알려주세요.)

당분간 이곳을 찾지 못할 것이다. 내가 다시 이곳을 찾아 온다면, 그때의 나는 또 어떤 이야기를 가지고 새로운 내 모습을 발견하게 된 것이고, 글로써 다시 한번 발견하게 될 것이니 참으로 궁금하다. 그 시간은 영원도 아니고, 찰나의 순간도 아닐 것이다.

어쩌면 아주 새로운 것으로 다시 만나자.

강순지의 이야기는 여기까지. 이제, 당신의 이름으로 당신의 에세이를 적어주세요. 나는 그 글을 읽고 싶어요.

나에게 보내주세요. 내가 다 읽어보고 찢어서 우걱우걱 먹어버릴게요.

자, 에세이 이름부터 먼저 생각하고, 당신의 이름도 좋지만 당신이 아닌 누군가의 이름을 지어 적어봐요.

시작해요! 아무한테도 보여주지 말아요.